PREMIERS PEINTRES
DE LA NOUVELLE-FRANCE

TOME I

FRANÇOIS-MARC GAGNON
NICOLE CLOUTIER

SÉRIE ARTS ET MÉTIERS

Ministère des Affaires culturelles
(Collaboration spéciale de l'Éditeur officiel du Québec)
1976

En couverture:
Claude Chauchetière, *Les six premiers sauvages de la prairie viennent d'Onneiout sur les neiges,* illustration no 7 de la *Narration annuelle . . .,* dessin à l'encre rehaussé d'aquarelle, 1686, Coll. Archives Municipales de la Gironde. (Détail)

ISBN 0-7754-2345-9 tome premier.
ISBN 0-7754-2346-7 tome deux.

Imprimé au Canada

À LA MÉMOIRE DE MON FRÈRE LUC.
F.-M.G.

AVANT-PROPOS

L'intention de ce petit ouvrage, premier d'une série qui en comportera deux, est de présenter une sorte de vue en coupe des conditions dans lesquelles on s'est exercé à la peinture dans la Nouvelle-France, à ses débuts. Assez paradoxalement, c'est en effet la période où l'activité picturale fut la plus riche, la plus abondante et peut-être la plus intéressante. On peut s'en étonner. Nos ancêtres n'avaient-ils pas d'autres préoccupations immédiates que la peinture? N'est-ce pas plus tard, quand la colonie sera organisée, que fleuriront les arts d'agrément, comme on disait à l'époque? Que non pas. C'est la fin du XVIIe siècle, plus que le XVIIIe, qui est riche en manifestations picturales. Il faut y voir le reflet d'une situation coloniale à ses débuts, avant que le mercantilisme de la Métropole ne fût venu faire échec à un développement des arts et d'une industrie autonome. Également caractéristique de cette situation, le projet présent dans tous les esprits de prolonger en terre d'Amérique tous les aspects de l'ancienne France. Quand les colons se seront davantage enracinés, la France devenue plus lointaine n'occupant plus aussi exclusivement les pensées et les coeurs, l'élaboration d'une culture autonome s'inspirera de critères nouveaux.

L'activité picturale que nous allons décrire est très diversifiée, en dépit du caractère contemporain des oeuvres qui la composent. Chaque peintre appartient à une conjoncture particulière qu'il convient de ne pas perdre de vue pour comprendre comment l'activité de chacun s'insère dans une époque particulière. Ainsi nous décrirons d'abord l'oeuvre de deux peintres jésuites, missionnaires chez les Iroquois: les pères Jean Pierron et Claude Chauchetière. Mettant leur talent au service de l'évangélisation des Indiens, ils appartiennent dès lors à ce moment de la colonie où la conquête et l'occupation du territoire sont encore prioritaires.

Nous présenterons ensuite deux autres ecclésiastiques peintres: le frère Luc et l'abbé Jean Guyon. Le frère Luc était récollet, Jean Guyon, prêtre du Séminaire de Québec. L'un et l'autre ont vécu dans le même contexte idéologique. Contemporains de l'intendant Talon, ils virent les premières années de l'instauration du régime royal dans la colonie. Même si la mission auprès des Indiens continuait, elle n'occupait déjà plus exclusivement l'attention. Le bien-être spirituel et matériel des colons prenait le dessus. La présence des récollets en Nouvelle-France, comme nous le verrons, est déjà significative de ce point de vue. C'est un peu à titre de représentant du pouvoir royal que le frère Luc oeuvre en Nouvelle-France. L'abbé Jean Guyon, par ailleurs, est un élément autochtone, contrairement au Frère Luc, né en France et ne faisant qu'un bref séjour dans notre pays. Avec Guyon, nous entrons dans cette phase plus difficile où l'art de la peinture eût pu pousser des racines plus profondes n'eût été le mercantilisme de la France qui préférera exporter ses tableaux et ses gravures plutôt que de voir se développer ici un art indigène.

Le dernier peintre que nous voudrions présenter est Pierre Leber. Au contraire des précédents, il est laïc, bien qu'à vrai dire mêlé de près à la fondation d'une communauté religieuse, les Frères Charron. Montréalais, il a exercé son art moins à Québec comme nos autres peintres qu'à Montréal. Fort de l'appui du clergé, il aura quelques succès, démontrant par la négative le difficile avènement d'une peinture profane à l'époque héroïque de la Nouvelle-France.

À ceux qui s'étonneraient d'une présence aussi massive du clergé dans nos arts, à ses débuts, il est bon de rappeler que l'Église était et restera longtemps le plus important commanditaire des peintres, des sculpteurs, des orfèvres et des architectes. Les quelques portraits profanes que l'on a pu produire à la même époque ne font pas le poids devant les commandes ecclésiastiques.

Il s'en faut de beaucoup que les cinq peintres choisis épuisent à eux seuls l'activité picturale connue en Nouvelle-France, même à ses débuts. C'est pour cette raison que nous avons pensé consacrer un deuxième volume du présent ouvrage à quelques autres d'entre eux. Le fondateur de la Nouvelle-France, Samuel de Champlain devrait être considéré sinon comme notre premier peintre, du moins comme notre premier dessinateur. Ses livres sont illustrés de cartes enluminées et de gravures faites à partir de ses dessins. Ils constituent une documentation ethnographique de premier ordre et ne sont pas sans mérite esthétique. Plus extraordinaires encore sont les dessins de ce qu'on a convenu d'appeler le *Codex Canadiensis*. La faune, la flore et les populations indiennes y sont évoquées avec une richesse de détail et une vigueur peu communes. Avec les ex-votos, ils forment à notre sens, l'ensemble artistique le plus important de la Nouvelle-France. Il faudra compléter le tableau brossé dans le présent volume en évoquant ensuite la figure de l'abbé Hugues Pommier et celle de Michel Dessailliant. Nous reprendrons enfin le problème de l'École des arts et métiers de Saint-Joachim, sur des bases que nous croyons nouvelles.

Même alors nous n'aurons pas encore épuisé notre sujet; du moins en aurons nous donné un aperçu. Aurions-nous de cette façon créé quelque intérêt dans l'historiographie de la peinture en Nouvelle-France, que nous aurions déjà atteint notre but.

Nous présenterons nos peintres en recourant aux documents d'époque, que nous citerons *in extenso*, dans la mesure du possible. Nous croyons en effet que c'est la meilleure façon de faire pressentir le passé et de montrer sur quelle base concrète s'est élaborée l'historiographie de l'époque.

Nous tenterons d'évoquer pour chacun les contextes social et iconographique dans lesquels son art a dû s'exercer. L'un et l'autre éclairent singulièrement et croyons-nous, d'une manière en partie nouvelle, l'histoire de la peinture en Nouvelle-France.

Il nous reste, en terminant cet avant-propos, à remercier les nombreuses personnes qui, d'une manière ou d'une autre nous ont aidés à réaliser ce travail. Au premier rang, viennent nos étudiants de l'Université de Montréal et de l'Université Laval, à Québec. Le texte qu'on va lire a d'abord servi à deux départements d'histoire de l'art. Nous aurions bien du mal à départager ce qui revient aux étudiants et ce qui nous appartient dans la recherche préalable à la rédaction; certes avons-nous, ça et là, rendu hommage dans nos notes à quelques-uns d'entre eux nommément, mais il serait injuste de ne pas reconnaître à chacun la part qui lui revient. Qu'ils trouvent donc tous ici l'expression de nos remerciements les plus sincères. Mademoiselle Nicole Cloutier qui s'est chargée du chapitre sur Pierre Le Bel a droit à une part toute spéciale de notre gratitude, puisqu'elle a accepté de retravailler pour les fins du présent ouvrage un chapitre de sa thèse de maîtrise qui mériterait une publication intégrale.

Notre recherche est tributaire de celle de nos devanciers et particulièrement de celle de Gérard Morisset, auquel il convient de rendre hommage au seuil d'un ouvrage consacré aux peintres de la Nouvelle-France. Les fiches de l'Inventaire des oeuvres d'art qu'il a accumulées, ainsi que ses photographies de tableaux forment la base de toute recherche en histoire de l'art ancien au Canada.

Nous y avons puisé abondamment, et si parfois nous avons cru pouvoir discuter certaines de ses interprétations, nous espérons que le lecteur ne se méprendra pas sur nos intentions véritables. Jamais ses opinions nous ont paru négligeables; l'érudition de Morisset était immense. Il est juste aussi de remercier ses successeurs dont les rapports avec nous ont toujours été, en même temps qu'efficaces, de la plus extrême courtoisie.

Nous devons également beaucoup aux différents spécialistes que nous avons importunés de nos questions: le père Henri Béchard, promoteur de la cause Katéri Tekakouitha et auquel notre chapitre sur le père Claude Chauchetière doit beaucoup: l'abbé Honorius Provost, archiviste du Grand Séminaire de Québec, dont les renseignements ont étoffé notre chapitre sur Jean Guyon; madame Madeleine Major-Frégeau, agent de recherche aux Archives publiques du Canada; mademoiselle Aline Renaud, aux Archives nationales du Québec; mesdemoiselles Denise Pétel et Lise Lamarche; M. Luc Noppen, professeur à la section d'histoire de l'art du département d'histoire de l'université Laval, nous ont tous aidés d'une manière ou d'une autre à la recherche des documents écrits ou iconographiques. Nous les en remercions tous. Ma mère enfin s'est chargée de la dactylographie d'un manuscrit plein de renvois qui représentait une sorte de défi à son habileté. Je lui en suis bien reconnaissant. Il s'en faut de beaucoup que la liste de ceux à qui je dois quelque chose ne s'arrête là, mais la crainte de lasser le lecteur me retient de laisser libre cours à l'expression de ma reconnaissance.

François Gagnon.

JEAN PIERRON

Quand les jésuites établirent leurs missions en Chine, il leur parut que pour avoir quelque influence en ce pays lointain, il leur fallait gagner les faveurs de l'empereur en l'intéressant aux découvertes scientifiques et techniques de l'Europe. Certains devinrent par ce moyen des dignitaires respectés à la cour de Chine, comme le père Adam Schaal, jésuite allemand qui, grâce à ses connaissances en astronomie, proposa une importante réforme du calendrier chinois; il fut nommé directeur du Bureau d'astronomie de Pékin, sous l'empereur Chouen-Tche. K'ang-hi (1662-1722) qui succéda à ce dernier, s'intéressa également aux sciences et techniques européennes et chargea le père Ferdinand Verbiest, qui avait des connaissances en métallurgie, de fondre pour lui jusqu'à 320 pièces d'artillerie. Mais K'ang-hi semble avoir eu en particulière faveur les jésuites habiles en peinture. Il les attacha à son service, mit à leur disposition un atelier près de ses palais impériaux et leur commanda les ouvrages les plus variés, depuis des émaux qu'il admirait particulièrement, à des peintures sur rouleau de soie, en passant par des décors d'éventails. Le nom de quelques-uns de ces jésuites peintres est connu: Christophe Fiori, Giovanni Gherardini, né à Modène, Charles de Belleville, le père Ripa, peintre et graveur, né à Naples et fixé en Chine depuis 1710 . . . Le plus célèbre de ces peintres de la cour de Chine fut probablement le frère Giuseppe Castiglione, né à Milan le 19 juillet 1688, et entré chez les jésuites à Gênes en 1707 où il montra un talent de peintre exceptionnel. Après un séjour de deux ans au Portugal, où il acheva son noviciat au couvent de Coïmbre, il s'embarqua pour Goa, le 11 avril 1714 et arriva à destination le 17 septembre. De là, il passa à Macao en juillet, à Canton, en août et finalement à Pékin en novembre 1715, pour y être présenté par le père Ripa à l'empereur K'ang-hi. Le reste de sa vie devait être consacré aux services des empereurs de Chine, pour qui il exécuta, non seulement d'innombrables tableaux, mais aussi des gravures et même des ouvrages d'architecture. Les empereurs Yong-Tcheng (1723-1735) et K'ien-Long (1736-1795) lui commandèrent des ouvrages jusqu'à sa mort, survenue à Pékin le 17 juillet 1766.

Les peintures de Castiglione, dont un grand nombre sont conservées au National Palace Museum de T'ai-pei, à Formose, ont ceci de remarquable qu'elles imitent à la perfection le style chinois. Elles démontrent que, fidèle à l'esprit du père Matteo Ricci (1552-1610), fondateur de la mission jésuite en Chine, le frère Castiglione ne crut pas devoir imposer les canons artistiques de l'Europe à ses hôtes chinois.

Ces faits, que nous avons résumés succinctement en suivant pas à pas la belle étude que Cécile et Michel Beurdeley viennent de consacrer à *Castiglione, peintre jésuite à la cour de Chine*[1], sont postérieurs de quelques années seulement aux activités picturales semblables des jésuites missionnaires en Nouvelle-France. Un des plus important émules de Castiglione à avoir travaillé dans la colonie française d'Amérique fut le père Jean Pierron, dont nous allons retracer la carrière dans le présent chapitre. Le *Journal des Jésuites*, (qu'il ne faut pas confondre avec les *Relations des Jésuites*, puisqu'il était le journal ordinaire tenu par les supérieurs de la maison de Québec, tandis que les Relations consistaient en lettres ou rapports envoyés en France ou à Rome) nous apprend les circonstances de son arrivée à Québec:

> «1667. Juin, le 27. Le P. Jean Pierron arrive avec Mons. Fennelon, ecclésiastique de St. Sulpice. Ce même jour, il s'est fait un miracle signalé à Ste-Anne»[2].

Né à Dun-sur-Meuse, le 28 septembre 1631, Pierron avait alors 36 ans. Il était entré chez les jésuites de Nancy, le 21 novembre 1650. Son biographe a noté qu'il n'était pas encore profès solennel à son arrivée à Québec[3]. On pourrait en effet s'en étonner, puisqu'il était membre de la Société de Jésus depuis déjà 17 ans. Comme l'explique le P. L Campeau, s.j. en effet, c'est «après dix années de vie dans la compagnie, années d'études non comprises, que le scolastique est admis au degré qui sera le sien: profession solennelle, ou état de coadjuteur spirituel»[4]. Entré à l'âge de 19 ans dans la compagnie, il n'avait pas encore fait sa philosophie, ni bien sûr, sa théologie; il étudia l'une et l'autre à Pont-à-Mousson, de 1652 à 1655 et de 1661 à 1665 respectivement[5]. Ces sept années d'études, qui n'entrent pas dans le comput des «dix ans de vie dans la compagnie» expliquent probablement son statut à son arrivée au Canada.

Parti le 30 janvier 1667, Pierron arrive à Québec après cinq mois de navigation, l'une des très longues traversées de l'époque. Son compagnon de voyage, «M. Fennelon», est un personnage célèbre. Frère de l'illustre archevêque de Cambrai, François Salignac de La Mothe-Fénélon, de dix ans son cadet, s'était fait sulpicien et devint missionnaire des Iroquois, sur le Lac Ontario[6].

Pierron devait imiter son zèle et partir bientôt pour son territoire de mission. Un mois à peine après son arrivée à Québec, il est d'une expédition chez les Iroquois. C'est encore le *Journal des Jésuites* qui nous l'apprend:

«*1667. Juillet, le 14. Les P. Fremin, Pierron & Bruyas avec Charles Boquet & Fr. Poisson, partent avec les Iroquois pour Annié & Onneiout*»[7].

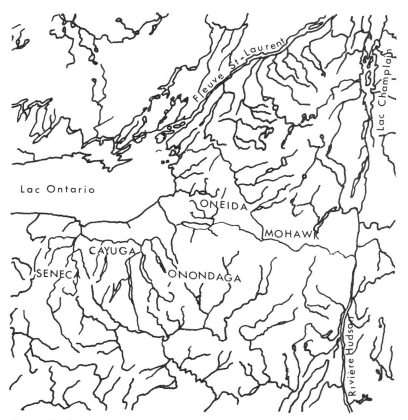

Figure 1: Distribution géographique des cinq tribus iroquoises. D'après J.A. Truck, *The Iroquois Confederacy, Scientific American*, fév. 1971, pp. 32-42.

Quelques jours auparavant, une délégation d'Agniers (Mohawks) et d'Onneiouts (Oneidas) s'était présentée avec ce père Jacques Frémin, réclamer la présence de «robes noires» dans leur village. Mohawks et Oneidas[8] comptaient parmi les cinq tribus de la grande confédération iroquoise; elles habitaient l'extrême est de leur territoire, soit le sud du Saint-Laurent jusqu'au sud du Lac Ontario. Traditionnellement hostiles aux Français et à leurs alliés, les Hurons, les tribus iroquoises peuvent étonner par cette demande de missionnaires. Mais, comme l'a expliqué G.T. Hunt[9], les Iroquois subissaient alors la pression des Andastes (Susquehannahs) sur le sud de leur territoire. Or, venant de conclure la paix, à la suite des expéditions de Tracy et de Courcelles en 1666 qui leur avaient fait goûter amèrement le pouvoir des forces françaises, ils n'étaient pas en position de résistance. Bien au contraire, le temps était plutôt à la conciliation, au moment de partir en guerre contre les Susquehannahs. La demande de missionnaires entrait dans la stratégie de conciliation. Pour démontrer sa bonne foi, la délégation iroquoise avait même laissé «des familles en otage» à Québec[10].

Le P. Frémin devait servir de supérieur à la petite troupe. Il avait déjà visité les Onontagués (Onondagas) en 1656, mais il connaissait mieux les Montagnais de la région de Trois-Rivières. Comme Pierron, le père Jacques Bruyas en était à sa première expédition chez les Iroquois[11]. Charles Boquet était un «donné», c'est-à-dire, l'un de ces laïcs engagés par les jésuites pour les aider dans leurs travaux de missionnaires. Un des meilleurs guides et interprètes des expéditions en territoire iroquois, il représentait un apport important pour le groupe qui, sans lui, aurait été assez démuni dans ses premiers contacts avec les Iroquois[12]. Poisson était probablement aussi un «donné». Le groupe comprenait également des Français et des Iroquois convertis.

Au cours du voyage, ils sont attaqués par une bande de Mohicans (Loups) ennemis des Iroquois, mais en général alliés des Français. Ces attaques les bloquent pendant un mois au fort Sainte-Anne, à l'entrée du Lac Champlain. Ils n'arrivent à destination qu'en septembre, à un des villages Oneidas[13].

L'organisation des établissements iroquois anciens nous est maintenant bien connue, grâce aux travaux des historiens et des archéologues. Le moins qu'on puisse dire, c'est qu'il y avait loin entre ce que le frère Castiglione vit à son arrivée à Pékin et ce qui se présenta alors aux yeux de Pierron. Les villages iroquois n'étaient pas tous systématiquement

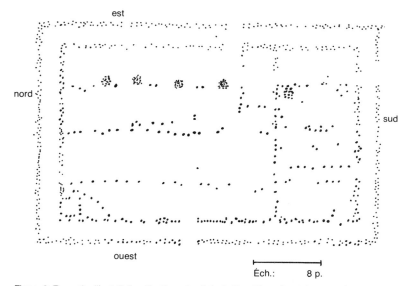

Figure 2: Exemple d'installation jésuite en territoire indien. Chapelle-résidence à Saint-Ignace, chez les Hurons. D'après W.S. Fox, *Saint-Ignace Canadian Altar of Martyrdom,* McLelland, Toronto, 1949.

ceinturés de palissades. Mohawks et Senecas, qui occupaient chacun les extrémités est et ouest des établissements iroquois, donc les plus exposés, étaient plus susceptibles que les Oneidas de se fortifier de cette manière. Un trait culturel commun à l'ensemble des Iroquois intéressait les missionnaires au premier chef: leur habitation. L'unité d'habitation des Iroquois consistait en de longues constructions recouvertes d'écorce et pouvant abriter plusieurs familles; on les désigne sous le nom de *long house*. De récentes fouilles dans la région d'Ottawa ont dégagé le plan au sol d'une *long house* mesurant 123 pieds de long, contenant cinq âtres se succédant au milieu de la construction; celle-ci pouvait loger dix familles ou 50 personnes sous un seul toit[14]. Cette habitation ne comportait pas de cloisons, mais le long de ses plus grands murs, se voyait une sorte d'établi sur lequel on étendait des fourrures qui servaient de couches. Normalement, la *long house* pouvait accueillir facilement des hôtes de passage. Cependant, il n'était pas question pour les missionnaires de partager cette promiscuité. Ils préféraient s'établir dans leur propre *long house*, où ils distribuaient des pièces au moyen de cloisons. C'est même ainsi, entre autres indices, que les archéologues peuvent déterminer les installations des missionnaires dans un ensemble de constructions indigènes. Une des chambres servait habituellement de chapelle.

Même si l'initiative de demander des missionnaires était venue des Indiens eux-mêmes, il ne s'ensuivait pas pour autant qu'on leur fit la vie facile. Le père Bruyas, dans une lettre du 21 janvier 1668 adressée à son supérieur à Québec, indique que

> «L'ivrognerie et le dévergondage des Indiens, de même que des menaces de mort proférées contre lui à la suite de certains rêves... entravaient son oeuvre d'évangélisation»[15].

De son côté, à l'occasion d'un grand conseil réunissant à Tionnontoguen des représentants de six villages Mohawks, le père Frémin décide de frapper les imaginations en recourant à des moyens symboliques:

> «... Afin de leur donner plus de terreur et faire plus d'impression sur leurs esprits, comme ces peuples se conduisent beaucoup par les choses extérieures, le père fit planter au milieu de la place, où se tenait le conseil, une perche longue de quarante ou cinquante pieds, du haut de laquelle pendoit un collier de Pourcelaine; leur déclarant que seroit ainsi pendu le premier des iroquois qui viendroit tuer François, ou quelqu'un de nos alliés; qu'ils en avoient desja veu l'exemple par l'exécution publique qui fut faite à Québec l'année passée d'un homme de leur païs, qui avoit contrevenu à quelques uns des articles de la Paix»[16].

Pour devoir recourir à pareille méthode, il fallait qu'on ne se sentît pas en très grande sécurité. L'allusion à l'exécution publique d'un Indien en 1666 se rapporte probablement aux suites de l'assassinat du lieutenant Chazy, perpétré par un groupe de Mohawks en juillet de la même année. Le «collier de Pourcelaine» utilisé par Frémin était en réalité une ceinture de wampum dont les Iroquois se servaient comme signe d'une entente ou d'un traité[17]. Le missionnaire dut donc clairement se faire entendre.

Pierron reçoit sa première initiation missionnaire dans des circonstances particulièrement dangereuses. De Québec, on s'inquiète du sort des missionnaires. Quand, le 15 décembre 1667, un Huron apporte des lettres des PP. Bruyas et Frémin, le Journal note que *«nos messieurs trouvent mauvais que le P. Frémin ne leur ait point escrit...»*[18] entendons, qu'il ne leur ait pas écrit plus tôt. C'est finalement Pierron qui arrive à Québec le 19 février 1668, porteur des dernières nouvelles:

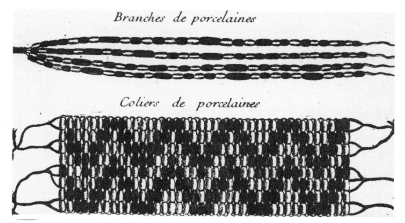

Branches de porcelaines

Coliers de porcelaines

Figure 3: Wampum indien du XVIIIe. *In* Bacqueville de la Potherie, *Histoire de l'Amérique Septentrionale,* Paris, 1753, tome I, p. 334.

«Le 19. Arrivée du P. Jean Pierron d'Annié avec François Poisson & deux sauvages & une femme. Il vient pour informer de tout: les esprits de ces peuples, dans leur disposition ordinaire: nos pères se portent bien & instruisent paisiblement les peuples, ont baptisé un nombre considérable d'enfants, quelques adultes, la plupart malades»[19].

À partir des communications orales de Pierron et des quelques lettres reçues des missionnaires, le père François Le Mercier, supérieur, rédige la partie assez considérable de la Relation de 1667-1668 qui concerne la mission iroquoise[20]. Il n'y est pas beaucoup de question de Pierron. On ne mentionne pas, en tout cas, qu'il eût déjà l'occasion d'exercer ses talents picturaux.

Après ces quelques mois passés chez les Indiens, Pierron a l'occasion de se reprendre en main, à Québec. Le 5 mars, il *«fait profession à la messe de 7 heures»*, et selon la coutume de la compagnie, passe *«demander l'aumône aux communautés* & à quelques particuliers des plus accomodez»*[21].

---

* Par la profession solennelle, le religieux renonçait non seulement à l'usage de tous ses biens, mais même à leur nue propriété. La demande d'aumônes après la profession symbolisait son statut particulier, eu égard au régime de propriété. (Voir note 22).

Le 13 du même mois, il fait partie avec les PP. J. Lalement, C. Pijart et C. Dablon d'un jury d'examinateurs sur «*toute la théologie selon la coutume de la compagnie*», auquel se soumet le P. Julien Garnier[23], premier jésuite ordonné prêtre au Canada, qui devait aller bientôt rejoindre le P. J. Bruyas chez les Oneidas[24].

Enfin, «*le 22 mars, le P. Pierron va en mission à la Coste de Beaupré pour les festes de Pasque*»[25], non pas chez les Indiens, mais chez les colons français. Comme le régime des paroisses avec curé résident n'est pas encore institué, les prêtres sont itinérants et on considère encore les établissements français comme territoires de mission.

Après cet intermède québécois, Pierron repart pour la mission iroquoise à l'automne 1668, comme nous l'apprend le père Le Mercier:

«Le père Jean Pierron, après avoir fait un voyage à Québec, arriva heureusement à Tinniontoguen, qui est le principal bourg de cette nation, le 7ᵉ jour d'octobre de l'année 1668 & prit entièrement le soin de cette nouvelle église, que le père Fremin luy laisse, après l'avoir cultivée avec des fatigues incroyables»[26].

Tinniontoguen est un village mohawk, comme on peut le déduire d'une lettre de Marie de l'Incarnation déclarant que le père Pierron «*gouverne les villages et les bourgs des Agnerronons*»[27], c'est-à-dire des Agniers ou Mohawks.

Seul responsable d'un territoire de mission, Pierron prend bientôt une initiative qui va nous retenir, parce qu'elle intéresse au premier chef l'intention du présent ouvrage. Aussitôt après le passage que nous venons de citer, Le Mercier fait état d'une lettre de Pierron, dans laquelle celui-ci se révèle comme peintre missionnaire, digne émule de Castiglione en terre iroquoise:

«... Sans l'occupation que me donnent les tableaux que je peins moy-même, je serois plus versé dans la langue que je ne suis; mais je trouve le fruit de ces peintures si grand, que je juge qu'une partie de mon temps est bien employée à cet exercice: car je fais par ces tableaux, premièrement que nos sauvages y voient sensiblement ce que je leur enseigne; ce qui les touche plus fortement.

De plus, j'ay cet advantage, qu'ils se servent de prédicateurs à eux-mêmes,& que ceux qui ne viendroient pas prier par dévotion, y viennent du moins par curiosité, & se laissent ainsi insensiblement prendre par cet attrait. Enfin j'ai trouvé moy mesme le secret de m'instruire; car en les entendant raconter nos mystères, j'apprens beaucoup de la langue, par le moyen de ces images.

Entre les portraits que j'ay fait, il y en a un de la bonne & de la mauvaise mort. Ce qui m'a obligé à le faire, a esté que je voyois que les vieillards & les femmes agées se fermoient avec les doits les oreilles, du moment que je leur voulais parler de Dieu & me disoient: Je n'entens pas. J'ai donc mis dans un costé de mon tableau un chrestien qui meurt saintement, ayant les mains jointes, en sorte qu'il tient la croix & son chapelet; puis son ame est élevée dans le ciel, par un ange, & les esprits bienheureux paroissent qui l'attendent. De l'autre costé j'ay mis dans un lieu plus bas une femme cassée de vieillesse qui y meurt, & qui ne voulant pas écouter un père missionnaire, qui luy montre le paradis, tient avec les doits ses deux oreilles fermées: mais un démon sort de l'enfer qui luy prend les bras & les mains & met luy mesme ses doits dans les oreilles de cette femme mourrante. L'ame de cette femme est enlevée par trois démons & un ange qui sort d'une nuée, l'épée à la main les précipite dans les abysmes.

Cette figure m'a donne une belle manière de parler de l'immortalité de nos ames & des biens & des maux de l'autre vie: & l'on n'a pas plustot conceû l'explication de mon tabelau, qu'il ne s'est plus trouvé personne qui ayt osé dire: je n'entens pas. Que si cette image a eû cet effet, j'espère que celle de l'enfer que je travaille, en aura encore un plus grand à l'avenir»[28].

Il est certain qu'avec sa courte expérience de la mission iroquoise, Pierron se devait de se mettre à l'étude de la langue. Par ailleurs, il tente de pallier à ses limites comme prédicateur en recourant à l'image. Contrairement à Castiglione qui peignait des sujets profanes, Pierron fait une peinture activement missionnaire, substitut du discours, et cherchant à obtenir la conversion des Indiens. Procédant avec les Iroquois, comme un prédicateur l'aurait fait avec des pécheurs endurcis, il recourt à une imagerie eschatologique pouvant inspirer la crainte, premier pas sur la voie de la conversion, selon la théologie traditionnelle de la contrition.

Car, pour le missionnaire de l'époque, l'Indien est un infidèle, c'est-à-dire un pécheur qui préfère ses superstitions à la foi. Il n'est pas question de lui reconnaître une culture propre, comme les mêmes jésuites le feront pourtant en Chine, au contact, il est vrai d'une civilisation supérieure. L'Indien leur paraît si démuni sous le rapport des arts, de la religion et de la vie politique, sinon toujours des moeurs, qu'il ne leur vient jamais à l'idée de comparer sa situation à celle du Chinois par rapport à la leur. C'est bien plus à des paysans ignares et superstitieux habitant le fond des campagnes qu'on les compare, ou encore à des «Égyptiens» c'est-à-dire à ces Bohémiens ou Gitans qui parcouraient les routes d'Europe. Pierron partage l'avis de ces contemporains quand il note que «les sauvages» sont «touchés plus fortement» par ce qu'ils peuvent voir «*sensiblement*» entendant que «*leur esprit grossier*» est plus ému par les images que par les discours. Mais il y a plus. Après avoir cité la lettre de Pierron, le père Le Mercier la commente en ces termes:

> «L'invention de ces tableaux n'est pas tout à fait nouvelle; elle avoit désia esté mise saintement en usage par un célèbre missionnaire de nostre France; & il n'est personne qui aye leu la vie de Monsieur Le Noblez, qui n'avoue que ç'a esté un des plus beaux secrets dont il se soit servi pour instruire les peuples sur nos saints mystères.» «Le père Pierron a peû imiter ce grand homme, & introduire dans le fond de nos forests une pratique qui a esté de si grand usage parmi une nation désia civilisée. L'on a sceû que cette sainte méthode avoit esté infiniment utile»[29].

Monsieur *Le Noblez* est connu. Il s'agit de Dom Michel Le Nobletz, curé actif en Basse-Bretagne durant la première moitié du XVIIe siècle, qui avait eu recours à l'image pour instruire dans la foi ses paysans et ses pêcheurs[30]. Sa biographie avait été publiée en 1666 par le sieur de Saint-André, pseudonyme d'un auteur jésuite, le père Antoine de Verjus. C'est à cet ouvrage que fait allusion le père Le Mercier. Ses *cartes*, ainsi qu'on désignait les feuilles de parchemin enluminé qu'utilisait Le Nobletz, sont conservées à l'évêché de Quimper. S'il est possible que Pierron ait lu, comme le père Le Mercier, la biographie de Le Nobletz, il est peu probable qu'il ait vu de ses cartes. Il y a fort à parier par contre, que les peintures de Pierron devaient ressembler aux cartes de Le Nobletz. La première carte de Le Nobletz ou *carte du jugement* montrant les embûches que chacun peut rencontrer sur la voie du paradis pour éviter l'enfer, est même voisine par son thème du *Portrait de la bonne & de la mauvaise mort* peint par Pierron.

Ce qui est remarquable ici, toutefois, c'est l'assimilation, par le biais des méthodes d'instruction, de l'Iroquois au paysan breton; on estimait que l'un et l'autre appartenaient au même niveau social et nécessitaient le même traitement.

Nous l'avons vu, après l'image de *la bonne & de la mauvaise mort*. Pierron entendait entreprendre celle de l'enfer, dont il attendait un «*effet*» encore plus grand. Il semble bien qu'il ait mis en oeuvre son programme. La Mère Marie-de-l'Incarnation, qui s'intéressait à ses méthodes, a noté dans sa lettre de 1669 que nous avons déjà citée:

> «Le père Pierron, qui seul gouverne les villages et les bourgs des Agnerronons a tellement gagné ces peuples, qu'ils le regardent comme un des plus grands génies du monde. Il a eu de grandes peines à les réduire à la raison à cause des boissons que les anglais et les flammands leur donnent. Comme le père

a divers vices à combattre, il a aussi besoin de différentes armes pour les surmonter. Il s'en trouvait plusieurs qui ne voulaient pas écouter la parole de Dieu, et qui se bouchaient les oreilles lorsqu'il voulait les instruire. Pour vaincre cet obstacle, il s'est avisé d'une invention admirable, qui est de faire des figures pour leur faire voir ce qu'il leur prêche par la parole. Il instruit le jour et la nuit il fait des tableaux, car il est assez bon peintre. Il en fait un où l'enfer est représenté tout rempli de démons si terribles, tant par leurs figures que par les châtiments qu'ils font souffrir aux sauvages damnés, qu'on ne peut les voir sans frémir. Il y a dépeint une vieille iroquoise qui se bouche les oreilles pour ne point écouter un jésuite qui la veut instruire. Elle est environnée de diables qui lui jettent du feu dans les oreilles et qui la tourmentent dans les autres parties de son corps. Il représente les autres vices par d'autres figures convenables, avec les diables qui président à ces vices-là, et qui tourmentent ceux qui s'y laissent aller durant leur vie. Il a aussi fait le tableau du paradis où les anges sont représentés, qui emportent dans le ciel les âmes de ceux qui meurent après avoir reçu le saint baptème. Enfin il fait ce qu'il veut par le moyen de ses peintures. Tous les Iroquois de cette mission en sont si touchés qu'ils ne parlent dans leur conseil que de ces matières et ils se donnent bien garde de se boucher les oreilles quand on les instruit. Ils écoutent le Père avec avidité admirable, et le tiennent pour un homme extraordinaire. On parle de ses peintures dans les autres nations voisines, et les autres missionnaires en voudraient avoir de semblables, mais tous ne sont pas peintres comme lui. Il a baptisé un grand nombre de personnes»[31].

Le danger de syncrétisme, vu les conditions dans lesquelles opérait Pierron qui ne savait pas encore bien la langue iroquoise, ne semble avoir été pressenti ni par le missionnaire, ni par la fondatrice des Ursulines. De quoi pouvaient bien parler dans leurs conseils les Iroquois si touchés par ces peintures, qu'ils considérassent le père comme *«un des plus grands génies du monde?»* Probablement assez peu de religion chrétienne, mais bien davantage du pouvoir de ce *shaman* nouveau genre qu'ils craignaient autant qu'ils respectaient.

Concluant son exposé sur les moyens dont on se sert pour leur conversion, Pierron déclare simplement:

«Je me suis servi de toutes les industries que Dieu m'a inspiré pour les obliger de renoncer à leurs mauvaises habitudes: car pour convertir ces peuples, il faut commencer par toucher leurs coeurs, avant de pouvoir convaincre leurs esprits. C'est dans ce dessein que j'ay fait des peintures spirituelles tres-devotes, qui ont puissamment servi à leur instruction»[32].

L'industrie la plus curieuse du P. Pierron ne fut pas ses peintures spirituelles, mais un jeu qu'il nous décrit avec force détail:

«Dieu m'en inspira une quelques jours après, qui est beaucoup plus facile & qui fait un grand fruit parmy ces peuples. C'est un jeu, pour prendre nos sauvages, par ce qu'ils ayment le plus; car le jeu fait toute leur occupation, lorsqu'ils ne vont point à la guerre: & ainsi j'espère leur faire rencontrer leur salut, dans la chose mesme qui contribuoit souvent à leur perte.

Mon dessein est de détruire par ce moyen l'étrange ignorance où ils vivent par tout ce qui regarde leur salut, & de suppléer au défaut de leur mémoire. Ce jeu parle efficacement par ses peintures, & instruit solidement par les emblesmes, dont il est remply. Ceux qui veulent s'y divertir, n'ont qu'à le voir, pour apprendre tout ce qu'ils doivent faire afin de vivre chrestiennement & pour retenir tout ce qu'ils auront appris, sans le pouvoir jamais oublier. Il n'est rien de plus aisé que d'apprendre ce jeu. Il est composé d'emblêmes, qui représentent tout ce qu'un chrestien doit sçavoir. On y voit les sept sacremens, tous dépeints, les trois vertus théologales, tous les commandemens de Dieu & de l'Église, avec les principaux péchez mortels; les péchez mesme véniels qui se commettent ordinairement sont exprimez dans leur rang, avec des marques de l'horreur qu'on en doit avoir. Le péché originel y paroist dans un ordre particulier, suivy de tous les maux qu'il a causez. J'y ay représenté les quatre fins de l'homme, la crainte de Dieu, les indulgences & toutes les oeuvres de miséricorde: la grace y est dep(e)inte dans une cartouche séparée; la conscience dans une autre; la liberté que nous avons de nous sauver ou de nous perdre; le petit nombre des Eleuz: en un mot, tout ce qu'un chrestien est obligé de sçavoir, s'y trouve exprimé par des emblêmes qui font le portrait de chacune de ces choses. Tout y est si naturel & si bien dépeint, que les esprits les plus grossiers n'ont nulle peine de s'elever à la connoissance des choses spirituelles, par des images corporelles qu'ils en ont devant les yeux. C'est ainsi que nos sauvages apprennent en jouant, à se sauver; & que j'ay taché de joindre ce qu'ils aymoient avec tant de passion, à ce qu'ils devoient aimer encore davantage afin qu'ils ne trouvassent aucune peine à se faire instruire. Ce jeu s'appelle du point au point, c'est-à-dire du point de la naissance au point de l'éternité.

Nos Iroquois le nomment, le chemin pour arriver au lieu où l'on vit toujours, soit dans le paradis, soit dans l'enfer. L'adresse & la méthode de ce jeu se pourra voir au bas de la carte, où il sera imprimé. Je pretens le faire graver, afin d'en avoir plusieurs exemplaires & de pouvoir rendre de la sorte nos mystères intelligibles à ceux mesmes à qui je ne pourray pas me faire entendre.

Il y a de nos Iroquois à qui je ne l'ay enseigné que deux foix, & qui l'ont appris parfaitement; d'autres à qui je l'ay monstré quatre fois seulement & qui s'y sont rendus si habiles, qu'ils m'ont obligé d'y jouer, soit par ce qu'ils y font paroistre de la vivacité à concevoir aisément des choses si difficiles, soit à cause qu'ils voient bien que ce jeu les instruit sans peine, de ce qu'ils doivent sçavoir pour se sauver. L'expérience que j'ay de cette nouvelle méthode, & l'approbation que plusieurs personnes très sages luy ont donnée, font que je l'estime beaucoup. Peut-estre que les missionnaires de la France s'en pourroient servir avec bien du fruit à l'égard des gens de la campagne; tant pour leur faire passer saintement quelques heures des dimanches et festes & agréablement tout ensemble, que pour leur enseigner d'une manière également aisée & solide, toutes les vertus du christianisme. Chaque cartouche & chaque emblême peuvent fournir de très profitables discours qu'on feroit au peuple: ainsi que je le fais voir dans le petit livre que j'en ay fait, & que j'aurois envoyé en France dès cette année, sans une maladie qui m'a empesché de le mettre en estat. J'espère l'envoyer l'année prochaine; avec un autre jeu du monde, que j'ay inventé, pour détruire toutes les superstitions de nos sauvages & leur donner de très beaux sujets d'entretien, qui les dégouteront du plaisir qu'ils prennent à s'entretenir de leurs fables» [33].

Pierron se montre ici excellent observateur de la psychologie indienne. En effet, la place prise par le jeu chez l'Indien a été souvent relevé par les anthropologues[34]. Les Indiens connaissaient plusieurs jeux de hasard et de compétition, tel la crosse. Un de leurs jeux de hasard, connu grâce aux descriptions de Champlain, de Sagard et des Jésuites, s'apparentait à nos jeux de dés. Elizabeth Tooker le décrit ainsi:

«Pour le jeu de bol, six noyaux de prunes sauvages, ou petites balles de la grosseur du bout du petit doigt, légèrement aplaties étaient placées dans un grand plat de bois. Ces dés étaient peints en noir sur un côté et en blanc ou en jaune de l'autre. Les joueurs, accroupis en cercle, saisissaient des deux mains, chacun à son tour, le bol et le soulevant un peu du sol, lui imprimaient un mouvement brusque de manière à ce que les dés puissent tomber tantôt d'un côté tantôt de l'autre. Un parti de joueurs gagnait quand tous les noyaux tombaient du côté noir ou du côté blanc. Celui qui tenait le bol n'arrêtait pas de répéter *tet, tet, tet, tet,* pour augmenter ses chances de gagner» [35].

Le père Pierron proposait aux Indiens un jeu de hasard d'un autre genre, mais dont le concept au moins ne pouvait leur échapper. Son jeu dérivait des jeux de l'oie ou des parchésis, qui consistent à avancer d'une case à l'autre à coups de dés, risquant de rencontrer en chemin tel obstacle ou telle faveur, retardant ou accélérant la course de chacun vers le paradis.

Son jeu par ailleurs se voulait éducatif; c'est toute la théologie post-tridentine avec ses accents caractéristiques sur les indulgences, la triade *grâce — conscience — liberté*, la doctrine du petit nombre des élus, qu'il entendait inculquer à ses catéchumènes. Le concile de Trente avait réagi contre les anciennes méthodes missionnaires, selon lesquelles on donnait le baptême sans s'être assuré d'avoir au préalable suffisamment instruit les néophytes. On exigeait désormais un minimum de connaissances doctrinales de la part du catéchumène avant de lui administrer le baptême. C'est précisément ce minimum de connaissances que le jeu du père Pierron visait à apprendre aux Iroquois.

On aura noté par ailleurs, une fois de plus, comment le père Pierron passe spontanément des Iroquois aux gens de la campagne, à qui il aimerait que son jeu fit «*passer saintement quelques heures des dimanches et festes*». La méconnaissance des mystères chrétiens lui semble relever, comme chez les paysans français, d'une étrange ignorance plutôt que d'une absence de contact avec les cultures européennes. À vrai dire, ce qui manquait à Pierron comme aux gens de son temps, c'est le concept de culture appliqué aux sociétés amérindiennes. Sans ce concept, l'Indien n'est pas perçu comme ayant sa culture propre, mais comme ignorant la seule culture qui vaille, la culture européenne. On lui fait donc la charité de la civilisation et de la religion européennes, sans se rendre compte que du même coup on contribue à détruire sa culture propre. La suite de la biographie de Pierron est plus mal connue. On note surtout qu'elle ne comporte plus d'allusions à son activité de peintre.

La fin de la relation de 1669-1670 indique que Pierron retourne alors à Québec. Le père Le Mercier y cite le missionnaire, déclarant:

«Si les choses continuent dans l'estat où je les ay laissées, en partant pour aller faire un voyage à Québec; il y aura chez les Agniés de quoy occuper plusieurs fervens missionnaires»[36].

C'est un fait qu'après son retour à Québec, on envoie sur place les pères Thierry Beschefer et Louis Nicolas[37]. Ce choix est astucieux. Beschefer est champenois, comme Pierron. Comme lui, il a fait son noviciat à Nancy et sa philosophie à Pont-à-Mousson. Il s'y trouvaient tous deux en 1652-1653 et s'y retrouvèrent en 1661, Pierron débutant en théologie et Beschefer professeur de rhétorique. Beschefer enfin précède de peu Pierron au Canada[38]. Par ailleurs, Louis Nicolas pourrait bien avoir partagé avec Pierron un talent pour le dessin et la peinture, surtout si on retient l'attribution qu'on lui a faite récemment des extraordinaires dessins du *Codex Canadiensis*[39], dont nous parlerons au second volume du présent ouvrage.

On perd ensuite la trace de Pierron pendant quatre ans. Le père Claude Dablon nous apprend soudainement, le 24 octobre 1674, qu'il est envoyé en mission en Acadie:

« . . . où le P. Jean Pierron a hiverné pour assister les français, dont le spirituel était abandonné depuis longtemps, mais bien plus encore pour voir s'il y avait moyen d'établir quelques missions pour les sauvages de ces quartiers-là».

Éloignée des centres de la colonie, l'Acadie devenait une mission de l'intérieur. Les colons français y recevaient la visite épisodique des missionnaires. Nous en verrons d'autres exemples par la suite.

Mais Pierron ne s'en tient pas là. Il visite aussi

« ... la Nouvelle-Angleterre, la Marilande et la Virginie (...) parmi les hérétiques
(...). Enfin il a eu quelques conférences avec les ministres de Boston où il a
été fort estimé, et où on parle de lui avec honneur»[40].

Dans *«La Marilande»*, il rencontre trois jésuites anglais *«habillés en
gentilshommes et (...) en métayer»*. Il lui prend l'idée de demeurer avec
eux pour les aider dans leurs travaux missionnaires. Dablon s'y oppose.
Cette mission *«dépend d'une autre assistance et (...) le Père ne désire
pas sortir de celle de France*[41]*»*. Il doit donc revenir à Québec.

On imagine ce qui amené Pierron jusqu'à Boston. Dans la mesure où
les Iroquois entretenaient des relations commerciales avec la colonie
anglaise, un certain nombre d'arrangements diplomatiques avec Boston
pouvaient paraître s'imposer pour le bien de la mission iroquoise. Pierron
n'en était pas d'ailleurs à son premier contact avec les Anglais de Boston.
La relation de 1668-1669 cite une lettre qu'il avait reçue du gouverneur
Lovelace relativement au commerce des alcools[42]. Il est peut-être revenu
sur le sujet dans son voyage de 1674.

Il repart ensuite chez les Iroquois, non pas chez les Mohawks qu'il
connaissait bien, mais chez les Sonnontouans, c'est-à-dire les Senecas
*«qui sont les plus éloignés de nous et qui semblent l'être aussi de la
foi»*[43]. C'est un trait constant de la carrière de Pierron, d'avoir préféré
les postes dangereux et les missions difficiles. Il en allait de même dans
sa vie professionnelle:

« ... avant que de partir pour retourner aux Iroquois (il voulut s'obliger par
voeu) de ne répliquer jamais à quoique ce soit aux ordres de ses supérieurs;
et de ne rien proposer qui y soit contraire; le second, par lequel il s'oblige de
ne retourner jamais en France, ni de le procurer en aucune façon».

Prudent, son supérieur lui refusa le premier voeu, mais lui accorda «le
second selon l'intention de l'obéissance»[44]. Chez les Senecas, les
conditions semblent avoir été particulièrement difficiles, les pères qui
s'y trouvaient étant

«pour ainsi dire obligés de porter toujours leurs âmes entre leurs mains, car ils
sont presque habituellement en danger d'être massacré par ces barbares»[45].

Pierron s'exerca-t-il à la peinture missionnaire chez les Senecas comme
il l'avait fait chez les Mohawks? On n'en sait rien, bien que cela soit
possible.

La dernière mention du père Pierron qu'on relève dans les relations se trouve dans celle de 1676-1677, rédigée par le père C. Dablon[46]. À cette date, il est toujours chez les Senecas. Il semble qu'il soit peu après revenu à Québec et, malgré son voeu, repassé en France en 1678. Il meurt, à Pont-à-Mousson, probablement le 20 février 1700[47].

Il est malheureux qu'aucune des oeuvres du père Pierron n'ait été conservée. Les conditions dans lesquelles elles étaient gardées expliquent assez leur perte. Nous sommes plus heureux avec celles d'un autre missionnaire-peintre dont nous allons maintenant parler.

NOTES SUR JEAN PIERRON

1. Bibliothèque des Arts, Paris, 1971

2. Les Éditions François-Xavier, Montréal, viennent de reproduire en fac-similé (1973), l'ancienne édition des abbés Laverdière et Casgrain (1871), p. 354

3. Dictionnaire bibliographique canadien, Vol. I, art. *Pierron* par J. Monet, p. 560

4. Campeau, L., *Monumenta Novae Franciae. I. La première mission d'Acadie (1602-1616),* P.U.L., Québec, 1967, pp. 358-9, Note 141

5. Rochemonteix, C. de, *Les Jésuites et la Nouvelle-France au XVIIᵉ siècle, d'après beaucoup de documents inédits,* Paris, 1895-6, Vol. II, p. 404, Note 1

6. D.B.C. Vol. I, art. *Salignac* par O. Maurault, pp. 613-5

7. *op. cit.* p. 355

8. Nous préférons ces désignations anglaises aux transcriptions françaises, parce qu'elles permettent d'utiliser plus facilement la littérature ethnographique anglaise et américaine qui est à cet égard fort abondante et de haute qualité.

9. *The Wars of The Iroquois. A study in intertribal trade relations,* Univ. of Wisconsin Press (1940), 1967, pp. 135-137

10. Journal des Jésuites, *op. cit.* p. 355

11. D.B.C., Vol. II, art. *Bruyas* par C.J. Jaenen, p. 112

12. D.B.C., Vol. I, art. *Boquet,* par J. Monet, p. 112

13. À propos des «Loups», le *Journal des Jésuites, op. cit.* p. 356 note:«on craint de s'engager à la guerre (contre eux), nos alliez, proches & puissants».

14. Voir J.V. Wright, *Ontario Prehistory. An Eleven-Thousand-year archaelogical Outline,* National Museum of Man, Ottawa 1972, pp. 82-83. Le village fouillé remonterait à l'an 1550 de notre ère. Il serait donc quelque peu plus ancien que les installations visitées par nos missionnaires.

15. D.B.C., Vol. II, art. *Bruyas*, par C.J. Jaenen, p. 112

16. *Jes. Rel.* Vol. 51, p. 206

17. Hale, H., *Four Huron Wampum Records. A Study of Aboriginal Americain History and Mnemonic Symbols,* Journal of the Royal Anthropological Institute of Great Britain and Ireland, 1896, p. 233

18. Journal des Jésuites, *op. cit.* p. 358

19. *Ibid,* p. 359

20. *Jes. Rel.,* Vol. 51, pp. 178 à 218

21. Journal des Jésuites, *op. cit.* p. 359

22. Campeau, L. *op. cit.* p. 359

23. *Ibid*

24. D.B.C., Vol. II, p. 245

25. *Journal des Jésuites, Ibid*

26. *Jes*. *Rel*. vol. 52, p. 116

27. Marie-de-l'Incarnation, *Lettres Historiques et spirituelles,* Ed. Richaudeau, p. 637

28. *Jes*. *Rel*. Vol. 52, pp. 118 et 120

29. *Ibid* p. 120

30. Voir F. Renaud, *(Michel Le Nobletz*. Les Éditions du Cèdre, Paris, 1955) qui a écrit la meilleure biographie de ce personnage à ce jour. Elle corrige en plusieurs points ce que l'abbé Bremond avait écrit de Le Nobletz dans sa célèbre Histoire littéraire du sentiment religieux en France, Paris, 1920, Vol. 5, pp. 93-101

31. *Op*. *cit*. pp. 637-8

32. *Jes*. *Rel*. Vol. 53, pp. 202

33. *Jes*. *Rel*. Vol. 53, pp. 206-212

34. «Les jeux de hasard (. . .) sont une forme de la guerre» écrit C. Lévy-Strauss, à propos d'un mythe Hidatsa dans l'*origine des manières de tables,* Plon 1968, p. 272

35. *An Ethnography of the Huron Indians, 1615-1649,* The Huronia historical development council and the Ontario Department of Education 1967, p. 115. Traduction personnelle. Certes la description de Tooker s'applique aux Hurons, mais elle indique en note 9, qu'elle vaut aussi pour les Iroquois.

36. *Jes*. *Rel*., *Vol. 53, p. 236*

37. *Ibid*, p. 238

38. D.B.C., Vol. 11, pp. 63-64

39. Voir un ouvrage de la présente collection: Rémi Savard, *Carcajou et le sens du monde,* Ministère des Affaires culturelles, 1972, p. 29 et *passim*

40. *Jes*. *Rel*., Vol. 59, p. 72

41. *Ibid,* p. 74

42. Cf. G. Morisset, Un peintre chez les Iroquois, *La Patrie*, 20 août 1950, p. 46

43. *Jes*. *Rel*., Vol. 59, p. 76

44. *Jes*. *Rel*., Vol. 59, pp. 76 et 78

45. *Jes*. *Rel*., Vol. 59, p. 250

46. *Jes*. *Rel*., Vol. 60, p. 174

47. D.B.C., Vol. 1, p. 560.

Planche 1: Alain Lestobec, *Carte du Jugement* I, tempera sur parchemin, environ 36″ × 24″, s.d.b.d.: ALLAIN LESTOBEC/1626. Coll. Archevêché de Quimper, Bretagne, France. Carte qu'utilisait Michel Le Nobletz dans ses prédications en Bretagne.

CLAUDE CHAUCHETIÈRE

Un autre jésuite s'est illustré comme peintre dans les premiers temps de la Nouvelle-France: le père Claude Chauchetière. Qui plus est, il prêcha aussi auprès des Iroquois, mais dans des circonstances bien différentes de celles que vécut Pierron. Heureusement, quelques fragments de son oeuvre picturale nous sont parvenus. Né à Saint-Porchaire-de-Poitiers le 7 septembre 1645, il était originaire d'Aquitaine. Il entra chez les jésuites à Bordeaux en 1663 et il fit sa philosophie à Poitiers (1665-67)[1]. En 1672, il rencontra le père François Le Mercier, probablement à Paris. L'ancien supérieur général des missions de la Nouvelle-France venait d'être rappelé en France durant l'été. Il devait bientôt repartir pour la Martinique afin d'y réorganiser la mission jésuite aux Antilles[2]. Le Mercier enthousiasma Chauchetière pour la mission canadienne et lui enseigna les rudiments de la langue huronne. Cependant, Chauchetière n'y vint qu'en 1677.

Ne disposant plus des précieuses notations du *Journal des Jésuites,* qui s'arrête en juin 1668, on ne peut préciser davantage la date de son arrivée au Canada[3]. La Relation nous le présente d'emblée comme exerçant son ministère, en 1677, à la Mission Notre-Dame-de-Lorette près de Québec, donc parmi les Hurons convertis[4].

Il n'y restera pas longtemps cependant, puisque la même année on le retrouve à la mission de Saint-François-Xavier au Sault-Saint-Louis, près de La Prairie[5]. C'est là qu'il passera le plus clair de sa carrière comme missionnaire.

La mission Saint-François-Xavier représente, comme celle de Sillery près de Québec, une tentative d'établir au Canada un système analogue à celui des «réductions» qui avaient eu tant de succès au Paraguay.

Comme la «réduction», ces missions entendaient réunir des Indiens convertis dans un village isolé des Blancs sous la gouverne spirituelle des seuls jésuites. Ce milieu fermé devenait extrêmement fervent, pour la plus grande édification des missionnaires. Chauchetière ne semble pas s'être mis à la peinture missionnaire dès son arrivée à Saint-François-Xavier. Il date lui-même son premier essai du genre *«un an après la mort»* de Catherine Tekakouitha, qui s'éteindra à la mission du Saut, le 17 avril 1680. Il décrit ainsi son essai:

«Le premier ouvrage que j'entrepris fut les peines de l'enfer dessiné par un allemand et qui m'avait été envoyé par Mr de Belmont. Cet ouvrage plut fort aux Sauvages et les missionnaires même m'en demandèrent copie . . .»[6].

Le personnage mentionné par Chauchetière est connu. Il s'agit de François Vachon de Belmont, sulpicien, qui venait d'arriver au Canada (1680) et d'y être ordonné prêtre (1681). Lui-même doué pour le dessin et l'architecture, il s'occupera des Indiens que les sulpiciens installeront successivement sur la montagne, au Sault-au-Récollet et au Lac des Deux-Montagnes, près de Montréal[7].

Il est plus difficile d'identifier l'allemand, auteur du dessin dont Chauchetière s'était servi comme modèle. Il s'agit probablement d'un graveur du XVIIe siècle. Chauchetière entreprit peu après de peindre le portrait de Catherine de Tekakouitha. Après avoir parlé de ses peines de l'enfer, il ajoute en effet:

« . . . Cette peinture ayant paru agréer au monde me donna courage d'entreprendre le portrait de Catherine qui était l'unique peinture que je souhaitais faire (. . .); je l'entrepris un an après sa mort (. . .); je fis les images que plusieurs ont entre les mains dans des feuilles volantes»[8].

Chauchetière a donc peint une série de ces portraits, probablement sur papier ou sur parchemin de petites dimensions, pour les distribuer, comme on ferait d'images pieuses. Le père Cholenec, compagnon du père Chauchetière, a indiqué que ces images *«ont merveilleusement contribué à la faire connaître puisqu'ayant été mises sur la tête des malades elles ont opéré des guérisons miraculeuses»*[9]. On s'en servait donc même comme images miraculeuses!

Ses premières oeuvres semblent avoir déclanché pour de bon l'activité picturale de Chauchetière. L'année suivante, comme son émule Pierron, Chauchetière se met à la peinture missionnaire. La *Narration annuelle* . . . note en effet en 1683:

«Il y avoit un an (donc en 1682) qu'on commença à instruire par les peintures ce qui pleût fort aux Sauvages; on a même fait venir toute la vie de nostre Seigneur dont on a fait de petits livres que les Sauvages portent avec eux à la chasse et s'instruisent eux-mêmes. On leur a mis ainsi par écrit les sacremens, les sept péchés capitaux, l'enfer, le jugement, la mort et quelques dévotions comme du rosaire, les cérémonies de la messe»[10].

Modeste, le père Chauchetière ne dit pas qu'il est l'auteur de ces petits livres. Ailleurs dans une lettre datée du Sault, le 14 octobre 1682, il est plus explicite:

«Ce qui me soulage cest que je désigne sur le papier les veritez de l'évangile et les pratiques de la vertu inventées par Mr de Nobletz. Un autre livre contient les cérémonies de la messe en peinture appliquées à la passion de Nostre Seigneur. Un autre contient les peynes de l'Enfer en images, un autre la création du monde. Les Sauvages y lisent avec plaisir et avec fruit, et ces livres sont leurs docteurs muets. Un de nos catéchistes faict avec les livres de grands sermons et j'eus bien du plaisir hier quand j'en trouvay une troupe à la porte d'une cabane qui s'aprenoient à lire dans ces sortes de livres»[11].

Nous voyons donc réapparaître le nom de Dom Michel Le Nobletz, dont s'était inspiré Pierron. Chauchetière n'avait peut-être jamais rencontré Pierron, mais il était certainement au courant de ses méthodes missionnaires. Il cite son nom dans sa *Narration Annuelle* :

« . . . C'est aussi gandouage qui a receu les 1ers prédicateurs de levangile en la personne des RR. pp. Fremin, Bruyas et Pierron qui après la paix faite furent envoyiés plénipotentiaires dans ces pais la . . .»[12].

Comme il cite souvent la Relation dans ses écrits, on peut imaginer qu'il en savait autant que nous sur les peintures spirituelles de Pierron. Il n'est donc pas étonnant qu'il ait connu ses sources et qu'il ait voulu s'en inspirer. Aussi bien la thématique de Chauchetière, bien que plus vaste que celle de Pierron, la recoupe en partie, en particulier dans le domaine eschatologique. Chauchetière composait de petits livres, plutôt que des cartes ou des peintures spirituelles, instituant la pratique des catéchismes en image, qui durera jusqu'à une époque récente au Québec. En réalité, Chauchetière s'adressant à des convertis avait moins besoin que Pierron, traitant avec des catéchumènes, de frapper les imaginations par les dimensions de ses tableaux. Un tableau de plus grandes dimensions sollicitait cependant l'imagination du père Claude Chauchetière: un nouveau portrait de Catherine Tékakouitha. Critiquant ses propres images sur feuilles volantes, Chauchetière avait noté:

« . . . Etant trop petites et moins propres à être vues de loin si on les exposait dans un grand lieu, ou si on les mettait dans les cabanes, elles étaient aussitôt remplies de fumée, je me résolus de travailler à cette grande image qui est encore à présent dans l'Eglise du Sault, pour servir d'instruction aux Sauvages, de la vie et des moeurs de Catherine; enfin en étant venu à bout après beaucoup de peine, elle y fut mise avec les quatre fins de l'homme qu'on y voit et les peintures morales de Mr Le Nobletz»[13].

On vient d'apprendre qu'en 1696, date où Chauchetière rédigeait le texte qu'on vient de lire, la grande image était *«encore dans l'Église du Sault»*. Y était-elle bien avant cette date? En 1685, Chauchetière rédige une première vie de Catherine Tekakouitha, malheureusement perdue[14], mais il indique dans celle qu'il rédigea en 1696 pourquoi la première avait été écrite:

> «Pour faciliter l'explication de ce grand tableau, je fis un petit livre dans lequel toutes les actions de Catherine sont peintes et toutes les guérisons des malades et les dévotions qu'on a coutume de faire à son tombeau».

On peut donc penser que cette «grande image» avait été peinte entre 1682 et 1685. En l'accompagnant d'un livret illustré, le père Chauchetière l'intégrait dans l'ensemble des peintures missionnaires utilisées au Sault.

Cette «grande image» existe-t-elle toujours? On montre à Caughnawaga village indien situé à peu près à l'emplacement de l'ancienne mission du Sault, un *Portrait de Catherine Tekakouitha* (h.t. 36″ × 30″, anonyme et sans date, Coll. Musée de Caughnawaga), qui paraît ancien. Catherine en occupe le centre, debout, la tête penchée vers la droite. Elle tient une croix de sa main droite et pose la gauche sur la poitrine. Un voile épais couvre sa tête et descend jusqu'à ses chevilles. Elle porte des mocassins brodés (de piquants de porc-épic) et des *«mitasses»*, sortes de jambières dont les Indiens se couvraient la jambre jusqu'au haut du genoux. À sa droite, un arbre borde la rive d'une rivière où l'on aperçoit un canoë monté de trois (ou quatre) personnages. À sa gauche, du même côté de la rivière se dresse une chapelle imposante à trois étages de fenêtres en façade, deux sur les côtés.

Le grand voile que porte Catherine n'est pas coutumier du costume indien. Par contre, il identifie très bien un détail vestimentaire propre à Catherine. Alors qu'elle était en bas âge, elle avait été atteinte de la vérole qui tua sa mère et son frère. Comme l'expliquait Cholenec:

> « . . . Il lui resta seulement une grande débilité par tout le corps et surtout dans les yeux de sorte que ne pouvant souffrir le grand jour, elle fut obligée toute sa vie de se cacher le visage dans sa couverte lorsqu'elle sortait de la cabane comme on la dépeinte dans ses images et au lieu que les autres sauvages. Ils portent leurs couvertures sur les épaules» [15].

Même des détails comme l'arbre à gauche et la chapelle à droite pourraient militer en faveur de l'ancienneté de l'oeuvre. Rapportant les circonstances qui décidèrent Chauchetière à faire des images consacrées à Catherine Tekakouitha, Cholenec explique qu'elles furent faites à la suite d'une «vision» du père Chauchetière. Or cette vision présentait, en plus de Catherine,

> « . . . plusieurs prophéties par autant de simboles qui se voyaient aux deux

côtés de Catherine (. . .) Par exemple, l'on voyait à sa droite une eglise renversée et vis à vis la gauche un sauvage attaché à un poteau et brûlé tout vif».

Il est tentant de voir des allusions à ces deux symboles dans l'arbre, à gauche et la chapelle à droite, bien qu'ils semblent transformés, comme on s'y attendrait dans une copie plutôt que dans un original. Il est donc difficile de trancher. Nous laisserons donc ouvert le problème de l'attribution à Chauchetière du tableau de Caughnawaga. Si le tableau de Caughnawaga était du père Chauchetière et non une copie ancienne de son tableau, cela serait de toute manière le seul tableau conservé de lui.

Heureusement, nous connaissons une autre série d'oeuvres qui sont sûrement de lui et qui vont nous donner une idée bien plus concrète de son activité. Nous voulons parler des illustrations de sa *Narration annuelle* . . . que nous allons aborder maintenant. Le manuscrit original de la *Narration annuelle* . . ., conservé aux Archives municipales de la Gironde, est en effet illustré de dessins à la plume, rehaussés de lavis très pâle. Ces dessins (15.5 × 20 cm) sont au nombre de dix[16], mais des pages blanches[17] portant titres font croire que le père Chauchetière avait eu l'intention de les compléter par un bon nombre d'autres.

Chauchetière s'est expliqué lui-même sur l'intention qui l'a guidé en illustrant son récit:

« . . . Les estampes qui sont là marquées sont pour faire connoistre aux sauvages la suitte de leur histoire et les graces qu'ils ont reçu de Dieu depuis qu'ils sont chrétiens»[18].

C'est dire que la *Narration annuelle* . . . sans être elle-même un caté-chisme en images se présentait de la même façon, avec son texte accompagné de nombreuses illustrations. Nous allons les commencer une à une, car elles sont peu connues.

La première, qui porte le no 7, s'intitule *Les six premiers sauvages de la prairie viennent d'Onneiout sur les neiges et (les glaces?)*. La composition se divise en trois plans de profondeur. Au premier plan, trois personnages portent raquettes aux pieds ou charge et fusil sur le dos, selon les cas. Au deuxième plan, sur la gauche, une sorte de traîneau attelé à un boeuf transporte du bois sur la neige. Au troisième plan, sur une colline à droite, un village comporte cinq maisons et une église dont on voit la lanterne. Quelques arbres complètent l'ensemble.

Le texte de la *Narration* . . . permet d'identifier l'essentiel de la scène. Les deux personnages de droite sont respectivement Tonsahoten et sa femme, Gandeacteua. Tonsahoten était un Huron converti au christianisme qu'avaient adopté les Onneidas après la destruction de la Huronie. Son épouse avait été enlevée par les Mohawks lors du sac de son village natal, Gentaienton, sur la rive sud du Lac Érié; ce village relevait de la nation des Chats (Érié, également iroquoïen). Elle fut donnée aux Oneidas, leurs alliés, à Ganouaroharé, où on la maria à Tonsahoten.

Blessé à la jambe, Tonsahoten décida de se rendre à Montréal pour s'y faire soigner à l'Hôtel-Dieu. Accompagné de sa femme, de sa belle-mère, de son père et de quelques connaissances, il partit en plein hiver avec Charles Boquet, l'interprète du père Bruyas, probablement le troisième personnage à gauche sur notre dessin. Celui-ci devait se rendre ensuite à Québec «*pour donner avis (. . .) de ce quon peut dire en fr. (France) sur ce pays*»[19].

Tonsahoten est représenté ici tenant un fusil, alors que sa femme porte une charge suspendue à son bandeau de tête, selon une division des tâches habituelle aux Indiens. Le père Chauchetière a figuré l'arrivée de «*cette petite troupe (. . .) à Montréal sur les glaces*». C'est probablement, en effet, Montréal, sur sa colline qui est représentée sur la droite. Chauchetière a noté l'étonnement de ces Indiens à la vue des établissements des colons:

«. . . Ces pauvres barbares qui ne scavoient ce que cestoit que de pretres, d'Eglise et de ceremonie estant entrés dans leglise de Montréal furent tellement ravis et surtout Gandeakteua qu'ils ne pensèrent plus aux Iroquois d'où ils venoient»[29].

Vivant loin de son territoire, chez les Iroquois, christianisé de surcroît, Tonsahonten avait aussi d'autres raisons de ne plus penser aux Iroquois.

Le dessin suivant (no 8) s'intitule *Les Sauvages vont s'établir à la prairie de la Magdeleine avec le François ils (. . .)*.

La Narration annuelle . . . précise qu'en 1668

«. . . au petit printemps de la fonte des neiges d'autres Onneiouts parents des six premiers se rendirent des environs ou ils chassoient lhyver à la prairie ainsy de six sauvages qui avoient passé lhyver a la prairie le nombre monta jusqua dix ou douse . . .»[21].

Chauchetière les a présentés arrivant en canoë, accueillis par les jésuites, l'un d'entre eux étant peut-être le père Pierre Raffeix, fondateur de 1667 à 1671 du village iroquois de La Prairie de la Madeleine[22]. L'Indien occupe la poupe de son canoë et tient le rôle de barreur, alors que la femme occupe la proue du sien et tient celui de pagayeur. En général, ils occupaient les positions inverses:

«Quand une femme voyage avec des hommes, elle se tient toujours à la barre car c'est la tâche la moins pénible; elle peut même allaiter son bébé en guidant l'embarcation ... Et si le voyage doit être long, on choisit l'homme le plus vigoureux pour pagayer à la proue. En l'absence de femme, l'homme le plus faible ou le plus âgé se tient en poupe ...»[23].

En revanche, le détail montrant qu'on évite d'aborder à la rive est bien observé:

«On n'abordait pas à la rive, mais on s'arrêtait à quelques distances du bord, où les passagers débarquaient dans l'eau et emportaient les bagages. Le canot était alors saisi par un seul homme à bout de bras et porté soigneusement à terre, où on le déposait sens dessus dessous»[24].

On notera enfin quelques détails vestimentaires iroquois. L'homme porte le pagne; il a les cheveux taillés en bande étroite sur le sommet de la tête; c'est la hure qui est, comme on sait, à l'origine de la désignation «huron»[25]. Les cheveux de la femme sont coiffés en tresse recouverte d'un torsade de lanières de cuir, comme l'écrit E. Tooker,

«... les femmes et les filles portaient leurs cheveux toujours de la même façon en tresse qui pendait dans le dos et était attaché avec des lanières de cuir»[26].

Le troisième dessin (no 9) s'intitule simplement *On travaille au champ*. *La Narration annuelle* ... avait noté pour l'an 1669:

«Tandis que nos sauvages estoient ainsy ala chasse, le p. Rafeix faisoit preparer de la terre et ses bons chrestiens estant de retour il leur marqua leur champ après la semence faite ...»[27].

Le dessin montre au premier plan une Indienne maniant une faux, alors que derrière elle (en haut à gauche et en bas à droite), deux personnages dénichent des oiseaux. On aperçoit au fond deux *long-houses* caractéristiques. L'agriculture est une tâche traditionnellement dévolue à la femme iroquoise, comme la chasse l'était à l'homme. Aussi étrange qu'on jugera l'accoutrement de l'Indienne, il correspond bien à la description que le père Chauchetière en a lui-même donnée:

«Sy vous voulez que je vous apprenne quelque chose de la manière de shabiller des sauvages, quoy que sy j'avois le temps, jaurois plustost fait de vous en peindre quelques uns, vous scaurez qu'elle ne laisse pas d'avoir quelque grace, surtout les jours de feste, les femmes n'ont point d'autres coiffures que leurs cheveux qu'elles partagent sur le milieu de la teste, et quelles lient ensuite par derrière avec une espèces de rubans qu'elles font de peau d'anguille peinte d'un bon rouge. Jy ay esté trompé souvent moy même, croyant que cestoit de veritable rubans; elles graissent leurs cheveux qui deviennent par la Noirs comme du Jay. Pour les hommes ils sont ridicules dans leurs chevelures, et il ny en a pas un qui ne saccomode d'une façon particulière, les hommes et les femmes portent les dimanches et les festes de belles chemises blanches, et les femmes ont un soin merveilleux de shabiller avec tant de modestie qu'on ne voit rien de deshonneste et de decouvert en elles; car elles attachent bien cette chemise, laquelle tombe sur une cotte qui est une couverture bleue ou rouge d'une brasse et plus en carré, elles la plient en double et sans façon la ceignant autour d'elles et la chemise qui pend sur cette espece de cotte descend jusqu'aux genoux seulement. Ils nous ont demandé souvent sil ny a point de vanité en leurs habits. Ils n'ont de coutume de porter cela qu'a l'esglise. Les jours de communion et de feste, pour les autres jours ils sont pauvrement habillez, quoy que modestement» [28].

Cette description correspond à son tour à celle que nous avons de l'époque:

«La robe était portée comme un manteau et des manches étaient attachées derrière avec une corde. (. . .). Sur leurs robes ils (. . .) mettaient des bandes de piquants de porc épic teints en rouge (. . .) les femmes s'habillaient comme les hommes, sauf qu'elles attachaient toujours leurs robes, qui leur tombaient jusqu'aux genoux» [29].

Les «*mitasses*» comportant souvent plusieurs plis comme sur le dessin de Chauchetière, et les mocassins complétaient cet ensemble.

Un des dessins les plus curieux de la série est le no 10 intitulé: *On en bannit les boissons*. On y voit un groupe d'Indiens assis sur le sol, au pied d'une sorte de croix fichée dans le corps d'un démon femelle. Au-dessus, l'un d'entre eux vide une bouteille. Dans le fond se distinguent une chapelle avec sa croix et sa cloche et une cabane.

La *Narration annuelle* . . . (1671) permet de préciser ce dont il s'agit:

«Ce fut alors qu'on mit à l'entrée du village deux arbres memorables à l'un desquels on attacha livrognerie et a l'autre limpureté toutes deux subjuguées par la foy; on fit un proverbe aux Iroquois de ce mot je m'en vais a la prairie cest a dire je quitte la boisson et la pluralité des femmes parce que quand quelqu'un parloit de demeurer a la prairie on luy proposoit d'abord ces deux articles quil falloit passer sans restriction et sans limite — autrement on n'estoit pas receu. Le village de la prairie avec toutes ces qualités devient un argument de crédibilité a tous les Iroquois qui y passoient tous les printemps dont la pluspart ne croyoient pas ce que on leur en avoit dit au pais . . .» [30].

Chauchetière dans son dessin a probablement condensé les deux arbres en un seul. La présence d'une petite chapelle à l'endroit du premier établissement de La Prairie de la Madeleine (Kentake, sur la rivière Saint-Jacques) est également attestée par la *Narration annuelle* . . . dès 1670:

« . . . *On commença a y faire des batimans tels quon les voit encore pour y faire une eglise en la façon dupais*» [31].

Le dessin de Chauchetière démontre bien que cette première chapelle était de pièces sur pièces recouverte d'un toit de bardeaux.

Dans le dessin qui suit (no 12), Chauchetière a voulu illustrer comment *on bannit les superstitions des enterremens*.

Colliers, wampums et autres décorations qu'on avait l'habitude de placer dans les tombes sont ici posés sur une table. La tombe est revêtue d'un drap mortuaire décoré d'une grande croix. Une Indienne à gauche dit le chapelet[32] et l'autre semble expliquer à une troisième ce qui en est.

Une fois de plus, la *Narration annuelle* . . . fournit le meilleur commentaire de ce dessin. Chauchetière explique qu'en 1673, à l'occasion de la mort de Gandeacteua, son mari, Tonsahonten dont nous avons déjà parlé, introduisit un changement important dans les coutumes funéraires des Indiens de La Prairie:

«La coutume des Sauvages est de donner tous les biens du deffunct à leurs parens et à leurs amis pour pleurer leur mort et denterrer avec eux une partie de ce qu'ils ont eu durant leur vie et de dresser des tombeaux et de peindre des bêtes et des oiseaux quils appellent génie ou maistres de la vie; mais le mary de nostre deffuncte en qualité du premier capitaine assembla le conseil des entiens et leur dit quil ne fallait plus garder leurs premières coutumes, qui ne profitoient de rien a leurs morts que pour lui sa pensée estoit de parer le corps de la deffuncte de ce quelles avoit deplus pretieux, puis quelle devoit ressusciter un jour, et d'employer le reste de ce qui lui avoit appartenu a faire l'aumosne aux pauvres, cette pensee fut suivie d'un chacun et elle est devenue, comme une loy quils ont observée depuis exactement . . . [33].

La scène suivante (no 14), intitulée *On donne la confirmation la 1ère fois,* correspond à un événement que la *Narration annuelle* . . . situe en 1676. L'évêque représenté est «Monseigneur l'evesque de Québec», c'est-à-dire à cette date Mgr de Laval, qui «confera (La confirmation) a plus de quatre ving sauvages», lors d'une visite à la Prairie[34]. La crosse de l'évêque, que tient un prêtre en surplis derrière lui, est très ornée[35], de même que ses vêtements. L'accoutrement des Indiens, par contre, est très simple.

La *Narration annuelle* . . . explique ensuite que cette même année 1676, la pauvreté fut si grande, comme l'année précédente,

«qu'elle a obligé la mission a quitter la terre de la Prairie pour en aller chercher une a cinq quarts de lieüe plus haut nommée le Sault Saint-Louis ou de St Xavier du Tiltre de la mission» [36]

Figure 4: Emplacements successifs de la mission de Caughnawaga. D'après le p. E.J. Devine, *Historic Caughnawaga,* Messenger Press, Montréal, 1922.

c'est-à-dire à Kahnawake, deuxième établissement de la mission du Sault, sur la rivière Portage, cette fois. La chapelle ne fut tout d'abord qu'«une cabane d'écorce dans laquelle le supérieur de la mission logeoit dans un coing pratique pour cela». Cet état de chose ne devait pas durer:

« . . . On commença lesté a batir une chapelle de soixante pieds qui fut achevée l'automne d'après»[37].

Ce sont les commencements de cette chapelle qui sont ensuite représentés sur le dessin no 16, intitulé *On bâtit la première chapelle.* On y voit en effet sur la droite un groupe de personnages diversement engagés dans le travail de construction d'une charpente en bois, alors que les Indiens représentés sur la gauche y semblent indifférents. Les trois personnages occupant le coin inférieur de la composition sont probablement des jésuites. Celui de gauche, à genoux près d'une pièce de bois, tient une équerre. Le personnage central a dans la main droite une règle et dans la gauche un compas dont on peut distinguer les deux branches si on regarde attentivement. Perché sur le comble de la charpente enfin, un ouvrier perce la poutre faîtière à l'aide d'un maillet et d'un poinçon.

Dans le groupe indien, on note une femme s'apprêtant à partir en canoë, une autre en train de pêcher sur un rocher; enfin un groupe, près d'un des *«arbres memorables»* dont nous avons parlé, et d'une croix, regardent vers le lointain. Ils servent à dater l'événement, l'été étant la saison de la pêche.

Un des jésuites représentés ici est probablement le père Frémin qui dirigea la mission iroquoise à partir de Caughnawaga entre 1671 et 1679, un autre, le père Cholenec, à Kentaké depuis 1675, mais le troisième ne peut-être Chauchetière qui arrivera l'année suivante à Kahnawake.

Nous avons dit que la mission du Saut constituait un milieu fervent. L'année 1678, au dire de la *Narration annuelle* . . . voit l'institution de la virginité consacrée parmi quelques Indiennes du Saut:

«Il y en a desia plusieurs qui ont portés leur virginité dans le ciel qui nestoint que de treise, quatorze, quinze ou ving ans. Plusieurs vivent encore qui ayant souvent refusé de bons partis pour le mariage passent l'aage nubile et donnent à Dieu leurs corps et leur ame dans une grande pauvreté et shabillent d'aumosne. Cet esprit a réuny cette année toutes ces personnes qui sont au nombre de treize, elles ont pour fin la plus haute perfection»[38].

C'est le sujet du dessin suivant (no 18). On y voit une Indienne se faire tailler les cheveux, «*qui*, note Chauchetière au même endroit, *est le principal ornement des sauvagesses*».

Le dessin suivant (no 20) illustre une circonstance moins extraordinaire: *On fait la procession du St Sacrement*. Ces processions avaient sans doute quelque chose de particulier, car Chauchetière note «*qu'on vient (les) voir par rareté*»[39]. Elles s'accompagnaient de chants qu'on jugeait fort beaux:

«On s'estonne tous les jours et avec raisons que des sauvages ayent si tost appris tout cela: eux qu'on nentend hurler dans les bois quand ils chantent à leur manière et qui ont une éducation si contraire aux façons policées des autres nations»[40].

Le dernier dessin de la série (no 26) rapporte un événément que la *Narration annuelle* . . . situe en 1680. Il s'intitule: *La foudre tombe au pied de la chapelle*:

«Sur le milieu de leté nostre chapelle fut menacée du feu du ciel lequel après plusieurs eclairs effroyables en plein midy et plusieurs grands coups de tonnerres tomba à quelques pas de la grand'porte et tomba sur deux chesnes qu'il écorcha, un homme qui alloit entrer dans la chapelle vit toutes les pierres qui estoint à terre courir autour de luy sans qu'il eust receu de mal»[41].

Quand on connaît la manière modeste dont le père Chauchetière parle habituellement de lui-même, on serait porté à croire que c'est lui qu'il met deux fois en scène dans son dessin. On s'expliquerait du même coup, le caractère particulièrement vivant et ressenti de la composition. Si cette hypothèse était retenue, on aurait ici l'auto-portrait du père Claude Chauchetière.

Nous avons commenté avec quelques détails les illustrations de la *Narration annuelle* . . . parce qu'elles sont les seules oeuvres dont nous soyions vraiment sûrs qu'elles sont du père C. Chauchetière et parce qu'elles constituent à elles seules des documents extrêmement intéressants sur la mission jésuite en Nouvelle-France.

La fin de la carrière du père Chauchetière est obscure. Il reste attaché à la mission du Saut jusqu'en 1693, date de son départ pour Montréal. On peut déduire d'une lettre à son frère, datée de 1694, qu'il était au fort Frontenac en 1689:

> «On a appris par un françois qui s'est eschappé récemment des Iroquois et qui fut pris quand on me mena à Catarakon il y a cinq ans, que le père Milet, captif depuis quatre ans aux Iroquois et qui m'avait succédé au fort de Frontenak ou il fut pris, est fort considéré des gens de son village.»[42].

L'allusion de Chauchetière au père Milet peut s'éclairer quelque peu:

> «En juin 1689, les Iroquois le capturèrent par ruse, explique le père Campeau, au fort Frontenac avec le chirurgien Pélerin de Saint-Amant». Les captifs furent conduits, avec les mauvais traitements ordinaires, jusqu'à Toniata (Grenadier Island, près de Brockville), où eut lieu un conseil de quatre des nations iroquoises. On confia le jésuite aux Onneiouts qui le menèrent dans leur pays. Grâce aux bons offices de notables chrétiens, Milet fut finalement adopté et reçut le nom de Odatsighta pour faire revivre un fondateur de la confédération iroquoise. Cette faveur lui donnait un rang distingué dans les conseils . . .»[43].

Par contre, on ignore ce qui avait amené le père Chauchetière au fort Frontenac (Kingston, Ontario). Quoi qu'il en soit, en 1693 il enseigne les mathématiques à Montréal:

> «Mon occupation sera cette année comme l'an passé, c'est-à-dire d'estre protoregent de Villemarie avec le 12 ou 15 écholiers et j'enseigne les mathématiques à certains jeunes gens officiers dans les troupes»[44].

C'est donc comme professeur que le père Claude Chauchetière achève sa longue vie à Québec, le 17 avril 1709. Moins étonnant que Pierron, Chauchetière n'en demeure pas moins intéressant. Il a su étendre à un nouveau champ la pratique de la peinture missionnaire et créer ce qui furent au Canada les premiers catéchismes en images. Son activité de peintre illustre en tous cas l'une des conditions dans lesquelles la peinture est née au Canada: le milieu de la mission jésuite.

Grâce aux Archives de la Gironde, son oeuvre est mieux connue que celle de Pierron.

NOTES SUR CLAUDE CHAUCHETIÈRE

1. D.B.C., Vol. II, p. 145

2. D.B.C., Vol. I, p. 471

3. Cf. Melanson, *Liste des missionnaires jésuites, Nouvelle-France et Louisiane, 1611-1800,* Montréal, 1929

4. *Jes. Rel.,* Vol. 60, p. 298

5. Il écrit lui-même dans sa *Narration annuelle de la Mission du Sault depuis la fondation jusqu'à l'an 1686:* «Lecrivain s'est appuyé sur tous ces témoignages jusques à l'an 1677. Mais depuis ce temps là il a eu lui-mesme en personne la connoissance et l'experience des merveilles que Dieu a opéré en divers temps dans cette mission du Sault». (*Jés. Rel.,* Vol. 63, p. 140)

6. C. Chauchetière, *Vie de la B. Catherine Tekakouita dite à présent la Saincte sauvagesse,* 1696, Ed. 1887, pp. 11-13, Cf. D.B.C., Vol. 1, pp. 649-650, article du p. H. Béchard

7. D.B.C., Vol. II, pp. 669-670

8. C. Chauchetière, *op. cit., Ibid.*

9. In *La vie de Catherine Tegakouïta première vierge iroquoise,* manuscrit non daté, conservé à l'Hôtel-Dieu de Québec, p. 70

10. *Jes. Rel.,* Vol. 63, p. 230

11. *Jes. Rel.,* Vol. 62, p. 116

12. *Op. cit.,* p. 170

13. C. Chauchetière, *op. cit., Ibid.*

14. Cf. H. Béchard, *L'héroïque indienne Katéri Takakwitha,* Fides, 1967, p. 13

15. P. Cholenec, *op. cit.,* p. 2

16. Chacun portant un chiffre dans le coin supérieur droit, soit, 7, 8, 9, 10, 12, 14, 16, 18, 20 et 26

17. Quatorze en tout

18. *Jes. Rel.,* Vol. 63, p. 142

19. Voir les biographies de Tonsahonten et de Gandeacteua au D.B.C., vol. 1, respectivement pp. 666 et 330 par le p. H. Béchard, s.j.

20. *Jes. Rel.,* Vol. 63, pp. 150 et 152

21. *Ibid.,* p. 154

22. D.B.C., vol. II, pp. 563-4

23. Goldman, I., *The Cubeo Indians of the Northwest Amazon,* in *Illinois Studies in Anthropology,* No 2, Urbana, 1963, p. 46, cité par Lévy-Strauss, C., *L'origine des manières de table,* Plon, 1968, p. 109

24. L. Campeau, *Monumenta Novae Franciae, I, La première mission d'Acadie (1602-1616),* P.U.L. 1967, p. 141

25. Sur l'origine du mot «huron», voir C. Heidenreich, Huronia. *A history and geography of the Huron Indians, 1600-1650,* McClelland and Stewart Ltd., 1971, pp. 20-21

26. E. Tooker, *An Ethnography of The Huron Indians.* 1615-1649. The Huronia historical Development Council, 1967, pp. 21-1. Traduction personnelle

27. *Op. cit.,* p. 156

28. *Jes. Rel.,* Vol. 62, pp. 184 et 6

29. E. Tooker, *op. cit.,* p. 20

30. *Op. cit.,* p. 166

31. *Op. cit.,* p. 160

32. Le père Pierron introduit le chapelet à La Prairie, en 1671. Cf. *Narration annuelle . . . ,* op. cit., p. 166

33. *Op. cit.,* pp. 182 et 4

34. *Op. cit.,* pp. 188 et 190

35. Comparer avec la crosse de Mgr de Pontbriand qui est connue. Cf. Jean Trudel, *L'orfèvrerie en Nouvelle-France,* GNC., 1974, pp. 78-9

36. *Op. cit.,* p. 190

37. *Op. cit.,* p. 192

38. *Op. cit.,* p. 202

39. *Op. cit.,* p. 210

40. *Ibid.*

41. *Op. cit.,* p. 218

42. Lettre du p. Chauchetière à son frère, datée de «Villemarie, ce 7 août 1694», In *Jes. Rel.,* Vol. 64, p. 118

43. D.B.C., Vol. II, p. 494

44. Lettre à son frère, *op. cit.*

Planche 2: Att. Claude Chauchetière, *Portrait de Katéri Tetakwitha,* h.t. 36″ × 30″, n.s.n.d., Coll. Musée de Caughnawaga. Photo John Porter et Jean Désy.

Planche 3: Claude Chauchetière, *Les six premiers sauvages de la prairie viennent d'Onneiout sur les neiges,* illustration no 7 de la *Narration annuelle* . . ., dessin à l'encre rehaussé d'aquarelle, 1686, Coll. Archives Municipales de la Gironde.

Planche 4: Claude Chauchetière, *op. cit., Les sauvages vont s'établir à la prairie de la magdeleine avec les françois . . .*, illustration no 8.

Planche 5: Claude Chauchetière, *op. cit., On travaille aux champs,* illustration no 9.

Planche 6: Claude Chauchetière, *op. cit.*, *On en bannit les boissons,* illustration no 10.

Planche 7: Claude Chauchetière, *op. cit., On bannit les superstitions des enterremens,* illustration no 12.

Planche 8: Claude Chauchetière, *op. cit., On donne la confirmation la 1ère fois,* illustration no 14.

Planche 9: Claude Chauchetière, *op. cit., On batit la première chapelle,* illustration no 16.

Planche 10: Claude Chauchetière, *op. cit., Quelques personnes embrassent la virginité la continence,* illustration no 18.

Planche 11: Claude Chauchetière, *op. cit., On fait la procession du Saint Sacrement,* illustration no 20.

Planche 12: Claude Chauchetière, *op. cit.*, *La foudre tombe au pied de la chapelle*, illustration no 26.

LE FRÈRE LUC

De tous les peintres actifs au début de la Nouvelle-France, le frère Luc est assurément le plus célèbre et le mieux connu, surtout depuis que Gérard Morisset lui a consacré une monographie détaillée intitulée *La vie et l'oeuvre du frère Luc,* publiée à Québec, en 1944[1]. Il ne s'agit donc pas pour nous de refaire tel quel le travail de G. Morisset et de retracer dans son entier la carrière du frère Luc. Nous ne nous intéressons, dans le cadre du présent ouvrage, qu'à la partie canadienne de celle-ci, quitte à lui donner un traitement plus étendu qu'on ne le fait habituellement.

Le frère Luc fait partie du groupe de six religieux qui rentrent au Canada lors du rétablissement de leur ordre en 1670. L'accompagnent en effet les pères Germain Allart, supérieur — gardien devrions-nous dire — Gabriel de la Ribourde, Simple Landon, Hilarion Guesnin et le frère Anselme Bardou[2]. Ils débarquèrent à Québec le 18 août, «après trois mois de navigation et un échouement à la hauteur de Tadoussac»[3]. Talon les accompagnait, qui allait remplir son deuxième mandat d'intendant.

Rien ne peut mieux faire comprendre le climat idéologique dans lequel baignera toute l'activité picturale[4] du frère Luc, que l'étude des motivations qui expliquent le retour des récollets en Nouvelle-France. On nous permettra de nous étendre quelque peu sur le sujet.

Pour comprendre ces motivations, il faut remonter jusqu'en 1665. En effet, un *Mémoire du Roi pour servir d'instruction à Talon*[5], lors de sa première intendance laisse déjà soupçonner la situation qui va amener le roi à envisager le retour des récollets en Nouvelle-France. Sa Majesté s'inquiète en effet de l'autorité que Mgr de Laval et les jésuites semblent avoir pris dans la colonie:

« . . . Sr Talon sera informé que ceux qui ont fait des relations les plus fidelles et les plus désintéressées dud pays ont toujours dit que les Jésuites dont la piété et le zèle ont beaucoup contribué à y attirer les peuples qui y sont présent y ont pris une autorité qui passe au delà des bornes de leur véritable profession qui ne doit regarder que les consciences. Pour s'y maintenir, ils ont esté bien aises de nommer le Sr évesque de Petrée pour y faire les fonctions épiscopales, comme estant dans leur entière despendance: et mesmes jusques icy, ou ils ont nommé les gouverneurs pour les Roy en ce pays là ou ils se sont servis de tous moyens possibles pour faire révoquer ceux qui avoient esté choisi pour cet employ sans leur participation, en sorte que, comme il est absolument nécessaire de tenir dans une juste balance l'autorité temporelle qui réside en la personne du Roy et en ceux qui le représentent, et la spirituelle qui réside en la personne dud s. Evesque et des Jésuites, de manière toutefois que celle-cy soit inférieure à l'autre. La première chose que led. sr. Talon devra bien observer et dont il est bon qu'il ayt en partant d'icy des notions presques entières est de connoistre parfaitement l'estat auquel sont maintenant ces deux autoritez dans le pays, et celuy auquel elles doivent estre naturellement. Pour y parvenir il faudra qu'il voye icy les pères Jésuites qui ont esté aud pays et qui en ont toute la correspondance, ensemble le Procureur général et le Sr de Villeray, qui sont les deux principaux du conseil souverain establs à Québec, que l'on dit estre entièrement dévouez auxd Jésuites, desquels il tirera ce qu'ils en peuvent sçavoir sans néanmoins découvrir de ses intentions».

Le *Mémoire* . . . dont nous venons de citer ce passage révélateur comporte en marge des annotations de Talon, dont la note suivante; elle montre l'état de l'information de Talon peu après son arrivée sur une matière aussi délicate:

«Pour responde au second article de la presente instruction, le premier ne demandant aucun esclaircissement. Je dis que le peu de temps qu'il y a que je suis en Canada ne m'a pas encore donné une parfaite connoissance de la conduite que y ont tenu par le passé les Jésuites qui y sont establis, que cependant ayant fort observé s'ils se servent présentement de l'autorité spirituelle pour affoiblir la temporelle, qui ne doit résider qu'es personnes qui representent celle du Roy, j'ay reconnû qu'ils se renferment assez dans l'estendue de leur veritable profession et jusques icy il ne m'a pas paru qu'ils s'empressent pour les affaires du gouvernement, si leur conduite future confirme ou destruict la créance que la presente m'a fait naistre, j'auray l'honneur d'en advertir le Roy, mais il y a lieu d'espérer qu'ils ne seconderont pas moins les intentions de sa Ma^te dans l'establissement du pays qu'ils les font valoir dans l'avancement de la gloire de Dieu, les deux premiers objets de sa Ma^te et comme je crois les deux principaux sujets de ma mission»[6].

Deux ans après, dans son *Mémoire sur l'état présent du Canada* (1667), Talon a déjà sensiblement changé son point de vue et rejoint substantiellement celui que le roi tenait en 1665, de ses informateurs antérieurs. Au chapitre de «l'ecclésiastique» il écrit ce qui suit sur l'évêque, les séculiers et les Jésuites:

«L'ecclésiastique est composé d'un evesque nommé, ayant le tiltre de Pétrée, *In Partibus Infidelium*, et se servant du caractère et de l'autorité de vicaire apostolique.

Il a soubs luy neuf prestres et plusieurs clercs qui vivent en communauté quand ils sont prez de luy dans son séminaire et séparément à la campagne, quand ils y sont envoyez par voye de mission pour deservir les cures qui ne sont pas encore fondées. Il y a pareillement les pères de la Compagnie de Jésus au nombre de 35. La plus part desquels sont employez aux missions estrangères pour la conversion des Sauvages, ouvrage digne de leur zèle et de leur piété s'il est exempt du meslange de l'intérest dont on le dit susceptible par la traite des pelleteries qu'on asseure qu'ils font aux outaouaks, et du Cap de la Magdelaine ce que je ne scay pas de science certaine. La vie de ces eclésiastiques par tout ce qui paroist au dehors est fort réglée et peut servir de bon exemple et d'un bon modèle aux seculiers qui la peuvent imiter, mais comme ceux qui composent cette colonie ne sont pas tous d'esgalle force n'y de vertu pareille ou n'ont pas tous les mesmes dispositions au bien quelqu'uns tombent aysement dans leur disgrace pour ne se pas conformer à leur manière de vivre, ne pas suivre tous leurs sentiments, et ne s'abandonner pas à leur conduite, qu'ils estendent jusques sur le temporel, empiétant mesme sur la police extérieure qui regarde le seul magistrat.

On a lieu de soupçonner que la pratique dans laquelle ils sont qui n'est pas bien conforme à celle des eclésiastiques de l'ancienne France, a pour but de partager l'autorité temporelle, qui jusques au temps de l'arrivée des troupes du Roy en Canada résidoit principalement en leurs personnes.

A ce mal qui va jusques à Gehesner et contraindre les consciences et par là desgouter les colons les plus attachez au pays, on peut donner pour remède l'ordre de balancer avec adresse et modération cette autorité par celle qui réside es personnes envoyées par Sa Ma[te] pour le gouvernement, ce qui a desja esté pratiqué, de permettre de renvoyer un ou deux eclésiastiques ceux qui reconnoissent moins cette autorité temporelle, et qui troublent plus par leur conduite le repos de la colonie, et introduire quatre eclésiastiques entre les séculiers ou les réguliers, les faisant bien autoriser pour l'administration des sacrements, sans qu'ils puissent estre inquiétez, autrement ils deviendroient inutiles au pays parce que s'ils ne se conformoient à la pratique de ceux qui y sont aujourd'hui, Mr l'evesque leur deffendroit d'administrer les sacremens.

Pour estre mieux informé de cette contrainte des consciences, on peut entendre Mr Dubois aumosnier du Régiment de Carignan qui a ouy plusieurs confessions en secret et à la desrobée, et Mons. de Bretonvilliers sur ce qu'il a appris par les ecclésiastiques de son séminaire estably à Mont Real»[7].

Que s'était-il passé entretemps pour que Talon changeât ainsi d'opinion sur les jésuites et Mgr de Laval? Sont-ce les discussions à propos de la permission de la traite de l'eau-de-vie, qui sera donnée le 10 novembre 1668?

On aura noté que pour remédier à la situation, Talon suggère d'«introduire quatre ecclésiastiques entre les séculiers ou les réguliers», c'est-à-dire de diviser le pouvoir ecclésiastique en factions de manière à ce que le roi puisse le maintenir plus aisément sous sa coupe. Cette suggestion porte en germe la décision de rétablir les récollets au pays.

On peut en voir l'effet deux ans après dans un nouveau *Mémoire succint des principaux poincts des intentions du Roy sur le pays de Canada*, *que sa Ma^té veut estre mis ez mains du Sr Talon s'en allant servir d'intendant de la justice, police et finances dud pays,* daté de Paris, le 18 mai 1669. Un paragraphe recommande à Talon de

> «... travailler à l'establissement de Recoletz et tesmoigner protection et amitié à l'abbé de Quelus afin que, il travaille avec plus de soin à l'augmentation de la colonie de Montréal. Ces deux corps eclésiastiques doivent estre aussy considerez pour moderer la trop grande application des Jésuites a conserver une autorité peut estre trop estendue qu'ils se sont donnée»[8].

Les lignes de forces du pouvoir ecclésiastique sont perçues et utilisées au profit de la suprématie royale, dans une perspective bien gallicane.

C'est donc dans ce contexte que se fait, le 18 août 1670, l'arrivée des récollets à Québec. Ont-ils été bien accueillis? Peu après leur arrivée, Talon notera en marge du *Mémoire succint . . .* de 1669:

> «L'establissement des PP. Recollects n'a souffert aucune opposition, et il s'est fait avec l'agreement, et la joye, tant du clergé, que des seculiers, qui louent Dieu, et bénissent le Roy de leur avoir donné ce secours. M. l'abbé de Quelus s'est bien aperceu de la protection que le Roy luy accorde, et il en tesmoigne une parfaite reconnoissance. Il travaille dailleurs de tout son mieux à l'establissement de la colonie de Montreal. Bon.»[9].

Le clergé en place leur fait bon accueil. Talon ne nomme pas les jésuites. Mais leur attitude est également bienveillante comme l'atteste ce passage d'une lettre du père François Le Mercier au révérend père Étienne Deschamps, provincial de la compagnie en France et qui sert d'entête à la Relation de 1669-1670:

> «Les reverends pères Recollets qu'il a amenez de France, comme un nouveau secours de missionnaires pour cultiver cette eglise, nous ont donné un surcroy de joye & de consolation. Nous les avons receus comme les premiers apostres de ce païs; & tous les habitants de Québec, pour reconnoistre l'obligation que leur a la colonie Françoise qu'ils y ont accompagnez dans son premier establissement, ont esté ravis de revoir ces bons religieux establis au mesme lieu, où ils demeuroient il y a plus de quarante ans, lorsque les François furent chassé du Canada par les Anglois»[10].

Revenant un peu plus tard sur le sujet, Talon, tout en nuançant sa présentation des événéments, rend hommage à la conduite du supérieur récollet dans la circonstance et conclut au plein succès de la manoeuvre royale. Nous citons un passage du *Mémoire de Talon sur le Canada au Ministre Colbert* portant en marge «Joint à la lettre de M. Talon du 10 novembre 1670»:

> «Le clergé du Canada s'acquitte tres bien de ses fonctions ecclésiastiques, le secours quil a receu par l'arrivée des peres Recolets luy donne bien de l'aysance.

Et cet ordre, quoyque cy devant non désiré par Mons. l'evesque et par les Jésuites, aydera de beaucoup à donner aux habitants les secours spirituels qui leur sont nécessaires surtout dans les costes esloignées.

Le père Germain Allart provincial a tenu durant son séjour une conduite sy judicieuse et prudente quil emporte l'estime de ceux mesmes qui sembloient ne devoir souffrir sa présence qu'avec peine. L'establissement quil a commencé prend une belle forme mais il a besoin des liberalitez du Roi pour le soutenir. Je le connois assez réservé pour qu'il souffre ses besoins sans les dire. Sa Majesté fera pour elle quand par charité elle fera quelque chose pour ces religieux, et leur donnera lieu d'augmenter leur nombre parce que par la elle ostera l'occasion que Monsieur l'évesque pourroit prendre de luy demander un nouveau secours d'ecclésiastiq. Et pour les soutenir, un nouveau fond, ou par voye de fondation de curès ou par voye de gratification, outre que plus il y aura de ces religieux, plus l'autorité des premiers ecclésiastiques trop establie sera balancée. Dailleurs ils seront les premiers qui commanceront les heures canonialles qui ne se sont pas encore dites en coeur et régulièrement par aucune communauté de celles qui sont establies en Canada. En vérité, Monseigneur, il est mal aisé de vous exprimer la joye que les peuples ont receu de l'arrivée de ces peres et je n'affecte rien quand je dis quelle vous a fait benir par tout de les leur avoir procuré. Je remets au provincial a vous dire ce quil a connû de la contrainte dans laquelle les canadiens ont cy devant esté, et avec quelle delicatesse il a fallu que j'agisse avec l'Eglize pour conserver l'autorité du Roy, le repos des consciences et ne luy donner pas sujet de murmurer contre moy. Le caractère de ce religieux et le rang quil tient dans son ordre luy donnera aupres de vous plus de creance quil n'en peut emprunter de ma plume, et sy vous avez a la luy refuser, ce peut estre sur ce quil advancera parlant de moy, par ce qu'il est de mes amis, quoyque je ne sois des siens, en ce qui regarde le service et la vérité que comme il le faut estre»[11].

Tout s'était donc bien passé; on en était à la phase des demandes de gratifications!

Tel fut, évoqué grâce aux documents d'époque, le véritable contexte de l'arrivée des récollets en Nouvelle-France. Mais pourquoi ceux-ci avaient-ils fait une place au frère Luc dans leur délégation? On pourrait poser la même question à propos du frère Bardou, architecte, qui les accompagnait également. Les textes ne nous le disent pas, mais on peut oser une réponse. Un des objectifs du père Germain Allart était de relever le couvent Notre-Dame-des-Anges de ses ruines. Dès lors, la présence d'un architecte s'imposait, ainsi, en un sens, que celle d'un peintre s'occupant du décor intérieur. Mais c'est surtout à la conception que le roi (et Colbert) se faisait du rôle de l'art dans l'expression de la puissance royale qu'il faut en chercher la raison, car on l'a vu, l'établissement des récollets à Québec est un acte de la politique gallicane de Versailles:

«Votre Majesté sait qu'à défaut des actions éclatantes de la guerre, rien ne marque d'avantage la grandeur et l'esprit des princes que les bastiments».

dira Colbert à Louis XIV[12]. C'est aussi vrai des peintures qui les ornent. À un moment où il s'agit pour le roi de faire sentir sa présence dans la colonie en y envoyant les récollets pour diviser le pouvoir ecclésiastique, rien mieux que des édifices et des peintures ne peuvent servir cette cause. Frappant les esprits et excitant les imaginations, ils rappellent en même temps et de manière continue la présence du pouvoir qui a permis leur création.

C'est donc dans des circonstances tout à fait favorables que le frère Luc va exercer son art au Canada.

La meilleure description qui nous soit parvenue de son travail durant son court séjour se trouve dans le *Premier establissement de la foy en Nouvelle-France* du p. Chrestien Le Clercq, écrit en 1691, peu de temps après l'arrivée du frère Luc au Canada:

> « . . . Frère Luc Le François, assez connu de toute la France pour un des plus habiles peintres de son temps, et qui n'a jamais consacré son pinceau qu'à des ouvrages de piété dont la vue inspire l'esprit de dévotion: ce bon religieux travailla durant 15 mois à plusieurs ouvrages qu'il a laissé comme autant de marques de son zèle: le tableau du grand autel de notre église et celuy de la chapelle; il enrichit l'église de la paroisse d'un grand tableau de la Sainte Famille, celles RR. PP. Jésuites d'un tableau de l'Assomption et acheva celuy du maitre-autel, qui représente l'adoration des roys; les églises de l'Ange-Gardien, de Château-Richer, à la coste de Beaupré, celle de la Sainte-Famille dans l'Isle d'Orléans et l'Hopital de Québec ont esté pareillement gratifiez de ses ouvrages »[13].

Ce texte est intéressant à un double point de vue. D'une part, il révèle la durée exacte du séjour du frère Luc au Canada: 15 mois. Il serait donc rentré en France en novembre 1671, si on fait le calcul[14], probablement sur le même bateau que Mgr de Laval qui s'y rendait pour s'occuper de l'érection canonique de son diocèse[15].

Certes la durée du séjour du frère Luc ne coïncide pas nécessairement avec son activité picturale en faveur du Canada. Cette dernière pourra se prolonger bien après son retour en France. De même l'acquisition de ses tableaux par des Canadiens pourra se faire même après la mort de leur auteur. Nous verrons que ni l'une ni l'autre de ces hypothèses n'est à rejeter dans le cas qui nous occupe. Toutefois, il est raisonnable de penser que le gros de l'activité du frère Luc s'est faite durant son séjour.

D'autre part, le texte du père Le Clercq énumère sinon tous les tableaux que le frère Luc a exécutés durant son séjour, du moins la plupart de ceux qui se trouvaient ici avant 1691.

Il parle d'abord, naturellement, des tableaux qu'il a fait pour orner le couvent de Notre-Dame-des-Anges: «*Le tableau du grand autel de notre eglise et celuy de la chapelle.*»

En 1691, quand Chrestien Le Clercq publie son texte, les récollets sont toujours à Notre-Dame-des-Anges. Ce n'est que deux ans plus tard, qu'ils déménageront place d'Armes (à Québec). Ils céderont leur couvent aux Mères Hospitalières qui y aménageront l'Hôpital général où elles sont toujours. Si l'on arrive à démontrer que les récollets ne rapportèrent pas leurs tableaux, c'est donc vraisemblablement à l'Hôpital général qu'on trouvera les oeuvres du frère Luc mentionnés par le père Le Clercq. Et en effet, la chapelle du Sacré-Coeur de l'Hôpital général conserve encore un grand tableau signé en bas à droite: «Fr. LUC», et daté, sur la gauche, sous le blason: 1671. On y lit également en bas à gauche une inscription: «Je prie que l'on ne frotte ce tableau d'huile ou de cendre mais de lessive.»

Ce conseil, suivi peut-être trop à la lettre, explique la décoloration partielle du tableau et le besoin qu'on a eu de le rafraîchir au XIXe siècle.

C'est tout probablement le tableau dont parlait le père Le Clercq, car le contrat d'abandon du couvent récollet Notre-Dame-des-Anges au profit des religieuses de l'Hôpital général, signé le 13 septembre 1692, précisait qu'il . . .

« . . . sera laissé au profit dudit Hôpital-général le rétable et le balustre de l'autel, les lambris du réfectoire et du choeur . . . les deux confessionnaux et bancs de la dicte église . . ., étant convenu qu'ils remporteront seulement les meubles et ustensiles cy-après: comme tableaux, armoires, pupitres du réfectoire, les grabats et tables des chambres, les chaises, le balustre de la chapelle, les bancs du chapitre et le dessus de la chaise (sic) de la dite église . . . »[16].

Considéré comme partie intégrante du retable et par conséquent sans doute exclu des biens meubles, le tableau fut abandonné par les récollets lors de leur déplacement vers la haute ville.

La preuve en est que le tableau du maître-autel du nouveau monastère n'avait rien de commun avec celui qui nous occupe. En effet, Bacqueville de la Potherie décrit ainsi la chapelle:

«Le couvent des Récolets est tout vis-à-vis le chateau. Leur église est belle. Elle est entourée en dedans d'une boissure de noyer de huit à dix pieds de hauteur.

Le tableau du maitre-hôtel est un Christ que l'on décend de la croix fait par le fameux frère Luc qui y demeuroit pour lors . . .»[17].

Quoiqu'il en soit, si on s'en tient au tableau qui se trouve aujourd'hui à l'Hôpital général, on est au moins sûr qu'il y était en 1815, puis qu'il est restauré à cette époque, aux frais de l'abbé Louis-Joseph Desjardins[18]. Enfin, il figure en tête (No 1) de l'inventaire des peintures de l'Hôpital général, dressé en 1933[19].

C'est une impressionnante huile sur toile mesurant $81'' \times 62''$ et représentant *l'Assomption de la Vierge*. Le thème n'a rien d'étonnant dans une église dédiée à Notre-Dame-des-Anges. Moins fréquent que celui de l'Immaculée-Conception, le thème de l'Assomption se rencontre dans les églises franciscaines de l'époque. Le Brun en avait peint une pour le grand couvent parisien des capucins de même que pour leur église de Beaugency. Claude Vignon avait même exécuté une Notre-Dame-des-Anges pour un couvent franciscain de Meudon[20].

Dans le tableau de l'Hôpital général, la Vierge est debout, genoux fléchis, yeux levés vers le ciel, bras tendus; précédée d'une colombe, elle s'élève au-dessus de son tombeau d'où sort un linceul sur la gauche. Elle est accompagnée d'angelots portant divers emblèmes. Derrière sa main droite, un ange tient un sceptre. Devant sa main gauche, un autre porte une couronne sertie d'une dizaine d'étoiles. Sous son pied droit paraît un troisième tenant une bande d'étoffe. Un quatrième enfin, pointe le doigt vers le ciel et regarde le spectateur. Sur le tombeau à gauche, les armes de l'intendant Talon, commanditaire du tableau[21]. Au sommet, deux *putti* entourent la colombe. Sur la gauche en bas, un rosier fait pendant au rocher qu'on aperçoit sur la droite.

On ne doit négliger aucun de ces détails si l'on veut interpréter correctement ce tableau. On peut considérer celui-ci, à la manière des mythes étudiés par Lévy-Strauss, comme une proposition imaginaire complexe appartenant à plusieurs ensembles mythiques déchiffrés par les iconographes. Certes la présence du tombeau, de la Vierge entre ciel et terre, yeux tournés vers le ciel, disent assez qu'il s'agit d'une Assomption. Mais la composition renferme bien d'autres éléments qu'on doit expliquer.

Louis Réau va nous mettre sur la piste:

«Sous l'influence des litanies de Lorette, la Vierge de l'Assomption est généralement figurée sur un croissant de lune, le front ceint de douze étoiles, comme la femme de l'Apocalypse. (. . .) Le *Speculum Humanae Salvationis* explique en détail cette présentation de la Vierge calquée sur la femme de l'Apocalypse, avec les pieds sur un croissant de lune et la tête couronnée d'étoiles. La femme de l'Apocalypse qui échappe au dragon est l'image de la Vierge enlevée au ciel. La lune qu'elle foule aux pieds est le symbole des choses changeantes de ce bas monde. Les douze étoiles qui illuminent sa tête rappellent les douze apôtres pressés à son chevet au moment de sa mort»[22].

Il est facile de constater que le frère Luc a laissé tomber le symbole du croissant de lune[23] retenant celui de la couronne étoilée qu'on voit non pas sur la tête de la Vierge, mais à la main de l'angelot de droite. L'artiste prend ainsi ses distances sur deux détails, par rapport à l'iconographie traditionnelle du thème. Il le fait d'ailleurs dans l'un et l'autre cas pour la même raison.

La couronne étoilée fait partie d'un ensemble homogène qui comprend le sceptre, qu'on voit à la main de l'angelot de gauche, la rose, présente à gauche également, mais qui écarte la lune, «symbole des choses changeantes de ce bas monde».

Cet ensemble homogène est précisémemt celui des litanies de Lorette mentionnées par Réau. Rose sans épine, sceptre de justice, étoile de la mer... Autant de titres de gloire attribués à Marie dans une liste qui n'en comporte pas moins de quinze.

Faut-il inclure dans cet ensemble iconographique l'angelot à la bande d'étoffe? Il ne le semble pas. On avait imaginé que pour convaincre du miracle de l'Assomption l'incrédule saint Thomas, la Vierge aurait laissé tomber sa ceinture alors qu'elle s'élevait au ciel. C'est ce motif propre aux Assomptions toscanes que le frère Luc a retenu ici. On comprend d'où ce motif provient à son tour. D'une part, il fait pendant, dans le registre marial, au récit évangélique de la rencontre du Christ et de Thomas après la résurrection; d'autre part, il fait allusion à un récit biblique dans lequel le prophète Élie lance son manteau à Élisée, pendant que son char de feu l'entraîne vers le ciel.

La figure de la Vierge elle-même est particulière. Elle est présentée bras ouverts plutôt que croisés sur la poitrine, comme on la voit, par exemple, dans la célèbre *Assomption* de Murillo[24]. Cela a posé un problème particulier au frère Luc, qui l'a résolu par une fibule, motif rare dans l'iconographie de la Vierge. Par ailleurs, en représentant la Vierge debout dans l'espace resserré entre le tombeau et la colombe, l'artiste ne réussit pas à donner au personnage le mouvement qui eut convenu. Il faut supposer au sujet les genoux fléchis vers l'arrière pour pouvoir tenir dans l'espace qu'il occupe.

Cette analyse iconographique est loin d'épuiser les problèmes que pose ce tableau. Il faut nous interroger aussi sur ses sources picturales.

Les ursulines de Québec possèdent également une *Assomption* que G. Morisset a attribuée au frère Luc. Mesurant 48″ × 24″, elle est moins grande que celle de l'Hôpital général; le sujet y est traité différemment. Bras étendus, accompagnée de plusieurs angelots disposés en couronne, la Vierge occupe la partie supérieure. Le tombeau vide, entouré des apôtres, se voit dans la partie inférieure.

Cette disposition n'est pas sans rappeler une composition attribuée à l'un des Bassan[25], qui se trouve encore à Saint-Louis-des-Français à Rome; une visite personnelle faite en juin 1974 nous l'a confirmé. Le format du tableau et la disposition des personnages sont les mêmes, autant qu'on puisse en juger dans une église dont l'éclairage est parcimonieux. Ce tableau occupe une place privilégiée: le fonds de l'abside au-dessus du maître-autel. Pourtant il ne semble pas avoir beaucoup retenu l'attention de nos contemporains. Berenson ne le nomme pas dans son célèbre *Italian Pictures of the Renaissance. Venetian School* (Phaidon Press. 1957). La grande exposition *Jacopo Bassano*, présentée au Palais Ducal de Venise du 29 juin au 27 octobre 1957, ne le mentionne pas non plus. Il est vrai qu'à Saint-Louis-des-Français, les trois extraordinaires Caravage de la chapelle Contarelli, sur le thème de la *Vocation de Saint Mathieu*, de *Saint Mathieu écrivant l'Evangile* et du *Martyre de Saint Mathieu* sont autrement excitants que la toile enfumée du Bassan!

Pourtant il fut un temps où cette oeuvre était appréciée à sa juste valeur. Notre frère Luc, notamment s'y est intéressé. Il s'était en effet donné la peine en 1635, bien avant son voyage au Canada, d'en faire copie sur place, comme nous l'apprend le P. Nicolas de Bralion:

«Le tableau du maistre-autel (de l'église de Saint-Louis des Français à Rome), où est représenté le mystère de l'Assomption, est un ouvrage d'un célèbre peintre appelé Bassan, dit communément le Bon Bassan. Ce tableau est fort grand & un des plus rares ouvrage de peinture qui soit à Rome. Il ne se peut rien de plus naturel & mieux ordonné que l'arrangement des figures des apostres toutes parlantes et mouvantes autour d'un sépulchre qu'elles environnent sans le couvrir & le cacher, tant elles sont judicieusement placées & sans confusion ou embarrassement, ce que je n'ay point remarqué en tous les tableaux de ce mystère que j'ay veus, s'ils n'ont imité celuy-cy dont on a fait des planches. Il ne se peut rien voir de plus majestueux & agréable que la représentation qui s'y voit de la Sainte Vierge élevée dans le Ciel par une infinité d'anges voltigeans tous en diverses façons sur des nuages, éclairez de la lumière éclatante d'une gloire. Le peintres qui l'estiment le moins le font du prix de six mil escus; mais ceux qui l'estiment mieux, disent qu'il est d'un prix inestimable.

Dans le dessein que j'eus à Rome de faire faire quelques copies des meilleurs tableaux quy s'y voient, je n'avois garde d'oublier celui-cy, puisque c'est le principal et le plus riche ornement de nostre eglise nationale, où j'avois un particulier advantage & facilité pour le faire copier. La copie que j'en fis faire est telle & si bien faite, qu'elle peut passer pour un bon et parfait original en France. Elle fut faite vers l'an mil six cent trente-cinq, par un nommé Claude François de la ville d'Amiens, alors jeune homme, qui estudiot à Rome en sa profession & s'y perfectionna si bien, qu'il est estimé un des meilleurs peintres de France»[26].

Cette copie existe. Elle se trouve en France, à Longeau (Somme), où G. Morisset l'a vue. Il l'a décrite de la manière suivante:

«En haut, la Vierge vêtue de bleu et de rouge et surmontée d'une colombe, monte au ciel, escortée par quatre anges; l'un à gauche, est vêtu de jaune et porte des ailes bleuâtres; à droite, un ange adulte porte une robe verte et des ailes rouges; au dessous de la Vierge, un petit ange voletant. En bas le sépulchre est vide. A droite, un grand ange vêtu de blanc; au premier plan, au centre, une femme habillée en gris et en rose; l'un des apôtres porte une robe bleu sombre, un manteau jaune et une tunique rose; au premier plan, un apôtre, tout abasourdi, porte un manteau rouge et une tunique verte»[27].

Il n'est donc pas exagéré de croire en l'existence d'une nouvelle copie de la main du frère Luc, copie qui serait arrivée chez les ursulines de Québec. Certes la copie des ursulines n'est pas signée et il n'est pas exclus qu'un autre artiste ait eu l'idée d'en exécuter une à Rome. Mais pourquoi chercher si loin, quand on a une possibilité raisonnable d'attribution au frère Luc?

L'ordonnance de ce nouveau tableau sur le thème de l'Assomption est assez différente de celle qu'on remarque sur le tableau de l'Hôpital général. Le thème de l'*Assunta* y est traité pour ainsi dire à l'état pur, sans influence d'autres thèmes tirés des litanies de Lorette ou de la légende de l'incrédule Thomas recevant la ceinture de la Vierge comme preuve de son Assomption. C'est d'ailleurs ainsi qu'il est représenté par Jacopo Bassano, fils ou père du précédent, dans les autres exemples connus, dont Berenson ne mentionne que deux: une toile conservée à Hampton Court (Vol. 1, p. 18, No 176) et une autre au Musée royal des Beaux-Arts de Copenhague. Cette dernière qu'il reproduit (Vol. 11, Pl. 1216) intéresse notre sujet. Il s'agit d'une esquisse. La composition s'inscrit dans un long rectangle horizontal réparti en deux registres. Dans celui du bas, on aperçoit de part et d'autre du tombeau vide les douze apôtres divisés en deux groupes de six. Le tombeau lui-même s'enfonce à l'oblique vers la droite présentant une de ses extrémités au premier plan. Au-dessus, la Vierge, soutenue par un groupe d'angelots accourant de toutes parts, est étendue sur un lit de nuages; bras ouverts, elle ne présente au spectateur qu'un profil regardant vers le ciel et tourné vers la droite. Il y a donc quelques ressemblances avec la composition de Saint-Louis-des-Français et sa copie canadienne. Mais les différences sautent aux yeux également, ne serait-ce que par le format qui en modifie l'ordonnance.

Une autre *Assomption* du Bassan, qui se trouve à Oslo est reproduite dans le catalogue de P. Zampetti (p. 113, fig. 43), (h.t. 170 × 155 cm, inscript: IAC, S/Bassa, P.). Elle a encore moins de rapport avec les compositions précédentes. Elle représente Marie élevée au ciel, debout, les bras esquissant le geste de l'orante, devant Saint Antoine-Abbé et Saint Louis de Toulouse qui la contemplent.

Si nous revenons après cette excursion italienne au tableau de l'Hôpital général, il est facile de voir ce qui à la fois le rattache à la composition du Bassan et l'en distingue. Il ne doit rien au style du Bassan, mais il s'inspire de sa conception. Le frère Luc qui connaissait bien ce tableau pour l'avoir copié à Rome en a fait par la suite comme le schéma de base de ses *Assomption* ultérieures; il en retranche des éléments, il en ajoute d'autres, mais il reste fidèle à la conception d'ensemble du Bassan.

Il ne fait en cela qu'imiter une pratique courante en son temps. Soeur Claire Gagnon[28] m'a signalé l'existence de deux gravures ornant le *Bréviaire des Religieuses Hospitalières de la Miséricorde de Jésus,* publié à Paris, en 1688; elles traitent aussi de l'Assomption[29] d'une manière très voisine de celle du frère Luc. Vu la date de leur publication, elles ne peuvent avoir inspiré le frère Luc. Ces gravures démontrent combien ce genre de composition était répandu à l'époque.

On l'a vu, Chrestien Le Clercq mentionnait aussi à Notre-Dame-des-Anges un autre tableau dû au pinceau du frère Luc: «celuy de la chapelle». Selon G. Morisset ce serait «*un tableau que le frère Luc avait exécuté pour l'une des petites chapelles intérieures qu'on voit encore dans les couloirs du couvent*»[30]. Si tel est le cas, il s'agit probablement d'un de ces tableaux que les récollets purent apporter avec eux selon les termes du contrat d'abandon de leur couvent aux mères hospitalières. Dès lors, il est inutile de le chercher à l'Hôpital général; il est probablement perdu[31].

En revanche, on peut se livrer à des conjectures plus solides à propos d'un autre tableau ayant pu faire partie intégrante du retable de Notre-Dame-des-Anges. On avait coutume de prévoir dans un retable important non pas un tableau, mais trois. Au centre se trouvait le tableau principal et de chaque côté, affectant souvent une forme ovale, on en plaçait deux plus petits qui complétaient l'ensemble. Dans la chapelle actuelle de l'Hôpital général, le retable porte, à droite, une de ces petites compositions ovales, signée «Antoine Plamondon Pinxit»; c'est un Saint François-d'Assise en extase. Il ne s'agit pas d'un original de Plamondon, mais bien plutôt d'une copie dont on peut voir l'original[32] au petit musée de Notre-Dame de Montréal. Saint François-d'Assise y est représenté de profil, à gauche. Il tient une croix dans ses mains stigmatisées. Les yeux mi-clos et les lèvres entrouvertes indiquent que le peintre a voulu représenter le saint en extase. Il est très possible qu'il ait été peint par le frère Luc, s'il provient du retable de la chapelle de l'ancien couvent des récollets. Comment le tableau qui ornait le retable de l'Hôpital général de Québec a pu aboutir à Notre-Dame de Montréal? C'est une question à laquelle G. Morisset a apporté une réponse ingénieuse que nous nous contenterons de rapporter.

En 1824, lors de la restauration de leur chapelle, les mères hospitalières donnèrent à Plamondon le *Saint François d'Assise du retable,* en échange d'une copie qu'il s'engagea à exécuter. Il restaura l'ancien tableau, en fit une copie qu'on peut encore voir à l'Hôpital général.

Par ailleurs en 1832, Plamondon entreprit de peindre un monumental chemin de croix pour les sulpiciens de Montréal. Il prit cependant beaucoup de liberté avec la présentation traditionnelle de son sujet, notamment en réduisant le nombre des stations. Ses commanditaires doutèrent de la qualité de son oeuvre. Plamondon, comme bien l'on pense, s'entêta à la défendre par tous les arguments, y compris, peut-être, en offrant le *Saint-François* du frère Luc. Certes, ce n'est là qu'une hypothèse, mais elle expliquerait au moins la présence de ce tableau chez les sulpiciens[33].

Après la mention des oeuvres du couvent des récollets, Chrestien Le Clercq ajoute: «Il enrichit l'église de la paroisse d'un grand tableau de la Sainte-Famille». Il s'agit d'un tableau destiné à la première église paroissiale de Québec, Notre-Dame-de-la-Paix. Celle-ci avait été construite dès 1647, et Mgr de Laval l'avait établie comme église paroissiale en 1664 sous le vocable de Notre-Dame-de-l'Immaculée-Conception et consacrée officiellement le 11 juillet 1666. Un grand tableau s'imposait

Figure 5: Anonyme, *Assomption*, in *Bréviaire des Religieuses Hospitalières de la Miséricorde de Jésus*, Paris, 1688. Archives de l'Hôtel-Dieu de Québec. Photo Sr Claire Gagnon.

Figure 6: Anonyme, *Assomption,* in *Breviaire des Religieuses Hospitalières de la Miséricorde de Jésus,* Paris, 1688. Archives de l'Hôtel-Dieu de Québec. Photo Sr Claire Gagnon.

dans cette église que Mgr de Laval qualifiait de «grande et magnifique» mais dont l'intérieur devait néanmoins être assez modeste:

«Un plancher en bois et quelques lambris contrastent avec les murs nus, crépis et blanchis à la chaux. Seul un dais peint recouvre les gradins d'un autel rudimentaire. Au lieu d'une fausse voûte, un plafond plat, genre de second plancher, recouvre l'édifice, soustrayant ainsi la charpente à la vue»[34].

Avait-on placé le tableau du frère Luc, en dépit de son sujet, au-dessus du maître-autel ou dans une des chapelles du transept? Il est difficile de savoir quel parti on prit à l'époque. Ce qu'il y a de sûr cependant c'est que les chapelles latérales étaient dédiées l'une à Sainte Anne, l'autre à la Sainte Famille[35]. C'est donc à cette dernière chapelle qu'on destinait ultimement le tableau du frère Luc.

Quoi qu'il en soit, la composition du frère Luc est perdue. Détruite lors du siège de Québec par les Anglais en juillet 1759[36], elle fut remplacée, vers 1775, par une composition de même sujet, peinte par l'abbé Aide-Créquy[37]; elle fut placée dans la chapelle latérale du même nom. Pour compliquer les choses, lors de la vente de la Collection Desjardins en 1817, la cathédrale acquit une *Sainte Famille aux cerises* de Jacques Blanchard, qu'on installa sur un pilier. Elle dut faire pâlir la composition d'Aide-Créquy. La toile de Blanchard, qui sortira très abîmée de l'incendie de 1922, est connue par un document photographique ancien. Il a été retrouvé récemment par Luc Noppen, professeur d'histoire de l'art à la section d'histoire de l'art du département d'histoire de l'Université Laval à Québec et qui a eu la gentillesse de nous le communiquer. Il s'agit d'une carte postale publiée à la fin du XIXe siècle par le photographe J.E. Livernois[38]. Quoiqu'il en soit, la toile d'Aide-Créquy ne devait pas connaître un meilleur sort que celle du frère Luc. Elle était déjà probablement fort abîmée «en 1837» comme l'explique G. Morisset,

« . . . puisque le peintre Joseph Légaré refusait de la rafraîchir. Dans un mémoire au curé de la cathédrale, il écrivait: «Les couleurs (du tableau) de la chapelle de Sainte-Famille sont presque entièrement passées» . . . et naturellement, proposait de le remplacer par un autre de sa composition.»[39]

On dut se rendre à sa suggestion, mais une fois de plus, le nouveau tableau ne devait pas nous parvenir; l'incendie partiel de la cathédrale en 1866[40] détruisait à son tour le tableau de Légaré. Il fut également remplacé:

«L'année suivante, Théophile Hamel la remplaçait par une de ses meilleures copies, le Repos de la Sainte-Famille pendant la fuite en Egypte, exécutée

Figure 7: Richard Short, *A view of the Cathedral, Jesuits College, and Recollet Friars Church, taken from the Gate of the Governors House,* gravure sur cuivre par P. Canot, 1761. Photo Archives Publiques du Canada.

71

d'après une peinture de l'un des Van Loo conservée au Musée de l'Université Laval»[41].

L'ordonnance du tableau de Hamel est connue par une photographie ancienne montrant l'ensemble du retable de la chapelle de la Sainte-Famille et par une copie du Van Loo faite par Antoine Plamondon, à l'église Saint-Roch de Québec. La composition du Van Loo est toujours au musée du Séminaire, mais elle a souffert des misères du temps[42]. Le tableau de Hamel périt dans l'incendie de 1922, le plus terrible de tous[43]. Celui qu'on trouve maintenant au même endroit est une copie récente du Van Loo, les restaurateurs de 1925 ayant voulu redonner à Notre-Dame de Québec l'aspect qu'elle avait avant l'incendie.

Tel un vestige archéologique enfoui sous des strates successives, la composition du frère Luc est donc loin. Ne désespérons pas toutefois de nous en faire quelque idée. Comme nous le verrons, il existe une autre *Sainte-Famille* due au frère Luc, qui fut plus heureuse dans sa traversée des siècles. Il sera temps alors d'avancer quelques hypothèses sur son iconographie.

Le père Chrestien Le Clercq qui nous sert de guide dans la reconstitution de l'oeuvre canadienne du frère Luc mentionne, après les tableaux de Notre-Dame-des-Anges et de Notre-Dame de Québec, ceux de l'église des jésuites où il fit *«un tableau de l'Assomption et acheva celuy du maitre-autel, qui représente l'adoration des Roys».*

Une gravure de Short (la 6e d'un groupe de douze) révélant l'étendue des destructions causées par le siège de 1759, montre l'intérieur de l'église des jésuites pratiquement vidée de ses tableaux. Celui du maître-autel est absent. Le père Le Clercq dit par ailleurs qu'il n'était pas du frère Luc, mais qu'il avait été simplement «achevé» par lui, ce qui fait supposer à G. Morisset qu'il avait peut-être été commencé par l'abbé H. Pommier dont nous reparlerons au volume II de cet ouvrage. On n'y voit pas davantage trace d'une *Assomption*. Le seul tableau représenté à l'extrême gauche de la gravure de Short montre deux personnages, l'un debout, l'autre à genoux, près d'un tombeau dans le coin droit; pendant que d'autres s'affairent autour du tombeau. Le personnage debout montre son coeur de sa main droite et attire de sa main gauche celle du personnage de droite. Ne s'agirait-il pas de l'incrédule Thomas convaincu de la vérité de la résurrection par une apparition du Christ montrant la plaie de son côté? Une gloire entourée d'angelots surmonte la scène, achevant de confirmer cette interprétation.

Photo Archives Publiques du Canada.

Figure 8: Richard Short, *A View of the Inside of the Jesuits Church*, gravure sur cuivre, 1761.

Que sont devenus les tableaux du frère Luc qui étaient chez les jésuites? On ne peut prouver par la seule gravure de Short qu'ils aient été détruits. On pourrait tout aussi bien démontrer qu'on les avait enlevés pour les soustraire à une éventuelle destruction. C'est ce que croyait G. Morisset et qui affirmait qu'«il est possible qu'ils existent encore»[44].

Deux manuscrits, l'un conservé à l'Hôtel-Dieu et l'autre à l'Hôpital général de Québec, nous permettent de faire avancer la question. Le premier est de Mère Saint-Pierre (Madeleine Vocelle) qui sera supérieure de l'Hôtel-Dieu de 1831 à 1834. On lit au chapitre des «Biens des Jésuites», le 14 avril 1800:

> «A la demande des religieuses de l'Hôtel-Dieu, elles ont aussi reçu: le retable, le tabernacle de l'église, le tableau du maître-autel (Circoncision), la chaire le balustre (. . .)
>
> Le tableau de la Circoncision a été acheté par M. l'abbé Desjardins, qui, après l'avoir fait réparer, l'a vendu à M. Paquet, curé de S. Gervais . . .[45].

Contrairement à ce qu'affirmait Chrestien Le Clercq, le tableau du maître-autel de l'église des Jésuites est ici identifié à une *Circoncision* plutôt qu'à une *Adoration des Rois*.

Le second manuscrit[46], conservé à l'Hôpital général probablement depuis 1882, confirme cette affirmation:

> «Ce tableau ne serait-il pas plutôt celui de la Circoncision qui est maintenant à Saint-Gervais et dont les figures d'Indiens ont toujours été attribuées au frère peintre et qui, d'ailleurs, se trouvait au maître-autel de l'église des Jésuites.»

Malheureusement l'église Saint-Gervais a été incendiée en 1872 et l'on ne peut suivre cette piste plus loin, à moins qu'on ne découvre une ancienne photo de l'intérieur. Retenons au moins, la vraisemblance de la thématique de ce tableau. Elle est en effet tout à fait à sa place dans une église jésuite.

Au Gésu, à Rome, le dessus du maître-autel est occupé par un grand tableau représentant la *Circoncision*. Même thème traité à Gênes, par Rubens, dans l'église Sant' Ambrozio, qui fut une église jésuite et où son tableau occupe également le dessus du maître-autel. La chapelle du collège jésuite de Poitiers, et l'église de la maison professe des jésuites d'Anvers étaient ornées semblablement de grand tableau sur le même thème. On pourrait multiplier ces exemples.

Pourquoi ce thème de la circoncision au-dessus du maître-autel dans une église jésuite? Émile Mâle qui nous guide ici en explique la raison:

«C'est qu'en ce jour, comme nous l'apprend Saint Luc, l'Enfant reçut le nom de Jésus, nom qu'Ignace de Loyola, malgré plus d'une critique, avait fièrement adopté pour sa compagnie. C'est l'«Imago primi saeculi» livre du Centenaire de l'Ordre, où un chapitre entier est consacré au nom de Jésus et à la fête de la Circoncision qui est la principale solennité de la Compagnie»[47].

La présence des figures d'Indiens dans une scène représentant la circoncision s'explique dès lors beaucoup mieux dans ce contexte. Au Gésu, si le maître-autel est surmonté d'une Circoncision, la voûte est décorée d'une fresque de Gaulli illustrant *Le Triomphe du nom de Jésus*. Les jésuites missionnaires devaient assurer le triomphe du nom de Jésus par toute la terre et chez toutes les nations, c'est pourquoi les Indiens ne sont pas hors de propos dans une telle scène.

Le père Chrestien Le Clercq cite ensuite une série d'églises qui auraient été «paraillement gratifiez de ses ouvrages» et en premier lieu celle de l'Ange-Gardien. Ici nous sommes un peu mieux fixé. Le Musée de Québec montrait en 1967, dans une exposition intitulée *Peinture Traditionnelle du Québec,* une grande composition sur toile (96" × 60") alors déposée «pour deux ans au Musée du Québec par la Fabrique de l'Ange-Gardien»[48]. Le tableau est anonyme et sans date. Il porte deux personnages, un ange à droite et un jeune homme à gauche. L'adolescent est vêtu d'une tunique bleu-vert et d'une mante vermillon rejetée sur l'épaule gauche. Il croise les mains sur la poitrine et regarde l'ange. Celui-ci, suspendu entre ciel et terre, regarde le jeune homme en pointant le ciel de la main gauche, alors que sa main droite repose sur l'épaule de son compagnon. On aperçoit un serpent aux pieds du jeune homme. Au-dessus de l'ange, le ciel s'entrouve pour faire apparaître le monogramme de Dieu, en hébreu[49]. En bas sur la droite, un blason timbré d'une couronne à neuf perles et d'une banderolle où l'on peut lire une devise latine: *Potius Mori Quam Foedari* «Plutôt mourir que se souiller» ou «perdre l'honneur» (*foedo* ayant les deux acceptations en latin). L'abbé Casgrain a identifié ce blason qu'il décrit d'*Hermine, aux armes de France, broché sur le tout.* La devise est celle «D'Anne, Duchesse de Bretagne, femme de Louis XII». Et il a tenté d'expliquer la présence d'un tel blason dans un tableau canadien:

«Nous lisons dans le tableau généalogique de Mgr de Laval, publié par l'abbé Gosselin, que la maison de Laval fit alliance avec la maison des ducs de Bretagne par le mariage de Hammond de Laval avec Helsarde de Bretagne»[50].

Il faudrait donc voir ici une allusion au commanditaire du tableau: Mgr de Laval aurait-il sollicité une relation bretonne pour qu'elle enrichisse d'un tableau une église du Canada?

Ce détail va nous permettre d'oser une datation probable. Toujours aux dires de l'abbé Casgrain, il existe une ordonnance de Mgr de Laval datée de 1671, où

> «il recommande aux marguilliers de l'Ange-Gardien de commencer au plus tôt à bâtir une église, n'y ayant, dit-il, qu'un petit logement très méchant où la pluie et la neige peuvent gâter le tableau et tout ce qui est sur l'autel»[51].

L'année 1671 est une date plausible pour dater un tableau du frère Luc. Par ailleurs, selon G. Morisset, le tableau porterait «tous les caractères de l'art du frère Luc; notamment dans les visages et les attitudes». Il suggère de le rapprocher d'une composition analogue conservée par les ursulines de Québec[52], un *Tobie et l'Ange*.

Il y avait également deux autres tableaux anciens à l'Ange-Gardien, qui ont péri dans l'incendie de l'église en 1931. Ils y auraient été accrochés par les soins du Séminaire de Québec huit ans après le départ du frère Luc. L'abbé Casgrain, que je suis pas à pas, n'en avait pas une très haute opinion: «... ils sont de valeur médiocre, le coloris n'est pas mauvais, mais le dessin manque de correction». Pour cette raison, il doutait qu'ils aient pu être du frère Luc[53]. Que pouvons-nous en dire de plus?

Revenons plutôt à l'iconographie du seul tableau connu, l'*Ange-Gardien*. Notons qu'il s'agit d'un thème relativement récent dans l'iconographie chrétienne. Comme l'explique L. Réau:

> «Sa popularité tient surtout au développement du culte de l'Ange Gardien, institué au début du XVIe siècle par le bienheureux François d'Estaing, évêque de Rodez. La première messe en l'honneur de l'Ange Gardien eut lieu à Rodez le 3 juin 1526. Cette dévotion fut favorisée par les Jésuites, qui en tant qu'éducateurs de la jeunesse, encouragèrent la création de Confréries de l'Ange-Gardien[54].

Cette dernière notation est intéressante pour notre propos. Une fois de plus le frère Luc s'y révèle comme un peintre de la Contre-Réforme, singulièrement dépendant de l'iconographie jésuite.

Le père Le Clercq mentionne, après l'église de l'Ange-Gardien, celle de «Château-Richer, à la Coste de Beaupré,». La paroisse était dédiée à Notre-Dame. Si le frère Luc y a fait un tableau, on peut penser qu'il a traité un thème marial. C'est tout ce qu'on en peut dire, car il ne reste aucune trace d'une toile qui serait aussi ancienne[55].

D'autre part, l'église de «la Sainte-Famille dans l'Isle d'Orléans» possé-
derait une composition du frère Luc. Avec celle-ci nous sommes plus
heureux. En effet, Sainte Famille de l'Ile d'Orléans conserve encore un
grand tableau (72″ × 57″) accroché au-dessus du maître-autel. Comme
l'a noté l'abbé Jean-Thomas Nadeau, ce tableau paraît

«très ancien, (il) porte la trace des balles anglaises et remonte, peut-être même
à la première église, car il a été taillé pour entrer dans l'encadrement actuel . . .»[56].

Il a en effet subi plusieurs restaurations: par François Baillairgé en 1805
et par E.-A. Noël en 1898[57]. Il n'est ni signé, ni daté, mais c'est probablement la composition que Chrestien Le Clercq avait en vue.

On y voit la Vierge au centre, l'Enfant-Jésus à gauche et saint Joseph à
droite. La Vierge porte un long manteau bleu, saint Joseph est vêtu
d'orangé. L'Enfant-Jésus, qui paraît avoir douze ans est vêtu d'écarlate.
Il tend les bras vers une croix qui descend dans un halo de lumière vers
la gauche, comme pour la recevoir. La Vierge penche la tête.

On se souviendra que lorsque nous avons parlé d'un tableau du frère
Luc sur le même thème, à Notre-Dame de Québec, nous avons évoqué
un moyen de nous faire une idée de cette composition. On peut penser
en effet que ce tableau ressemblait quelque peu à celui de Sainte-Famille.

La Sainte-Famille représente encore un thème récent, né avec la Contre-
Réforme. Le moyen-âge ne l'a pas connu comme tel, encore qu'il ait
souvent créé des images de la nativité. Au XVIIe siècle, l'iconographie
de la Sainte-Famille suit deux directions, ou bien elle place Marie, Joseph
et l'Enfant-Jésus dans un humble cadre domestique (v.g. la fameuse
Famille du Menuisier de Rembrandt) ou bien elle aborde le thème d'une
manière plus abstraite.

On conçoit en effet, que Marie, Jésus et Joseph forment une sorte de
Trinité sur terre, une Trias Humana, qu'on appelle aussi parfois la «Tri-
nité jésuitique», pour qu'il n'y ait pas d'équivoque sur l'origine du thème[58].
Cette Trinité de la terre est évidemment à l'image de la Trinité du Ciel.

«Marie, Jésus et Joseph, c'est une Trinité en Terre, qui représente en
quelque façon la Sainte Trinité», écrit Saint François de Sales (XIXe
Entretien Spirituel). Dans les oeuvres s'inspirant de cette conception,
l'Enfant-Jésus figure debout flanqué de ses parents dans un extérieur
et non pas dans la mise en scène intimiste des autres présentations.
La Sainte-Famille de Murillo conservée à la Galerie Heinemann à Munich

pourrait servir de prototype à cet égard[59]. Le tableau du frère Luc avec ses personnages debout dérivent de ces Sainte-Famille jésuitiques. Mais l'ordonnemencement habituel y est bouleversé par ce que l'artiste a introduit un autre thème, celui de l'apparition de la croix à l'Enfant-Jésus.

Il est tout à fait typique de l'iconographie du XVIIe siècle d'associer le thème de l'Enfant-Jésus à celui des instruments de la Passion.

« . . . Garofalo avait représenté la Vierge contemplant l'Enfant pendant que des anges descendent du ciel en portant la couronne d'épines, la croix et les clous. C'est un motif favori de l'art du XVIIe siècle»[60].

Nous sommes bien près de la composition du frère Luc en effet. Pour justifier ce rapprochement étonnant à nos yeux de l'enfance et de la croix, on répétait une phrase de saint Thomas: « . . . Au moment de sa conception la première pensée du Christ fut pour sa croix». Par ailleurs, on peut se demander si pour les hommes du XVIIe siècle le rapprochement de l'enfance avec la croix paraissait aussi incongru que pour nous. Bérulle, le grand maître de la spiritualité française du XVIIe siècle disait: «L'état d'enfance est l'état le plus vil et le plus abject de la nature humaine, après celui de la mort».

Pascal parle dans un même souffle des enfants et des bêtes: «(Les grands hommes) sont aussi abaissés que nous, que les plus petits, que les enfants, que les bêtes» (Pensées, sect. II, 103, Ed. Brunschweig)[61].

Rien d'étonnant qu'avec des idées pareilles, les théologiens du XVIIe siècle n'aient pas répugné à mettre les instruments de la Passion entre les mains de l'Enfant-Jésus. De surcroît ils estimaient admirable que Jésus ait voulu adopter la condition de l'enfant, conséquence ultime de l'Incarnation, sans doute dans l'intention d'y anticiper sa Passion elle-même. Quoi qu'il en soit du développement particulier du thème dans le tableau du frère Luc, il demeure que celui de la Sainte-Famille sera très répandu au Canada.

Nos lecteurs connaissent probablement les initiales J.M.J. pour «Jésus, Marie, Joseph». Elles figurent dans les blasons des jésuites et des sulpiciens, deux ordres qui ont fortement marqué les débuts de la Nouvelle-France. Il n'est donc pas étonnant de les retrouver ici. Toujours cohérent avec l'ensemble de son inspiration, notre récollet est donc singulièrement marqué par les modèles iconographiques jésuites.

Enfin le texte de Chrestien Le Clercq signale que l'hôpital de Québec a été «gratifiez de ses ouvrages», l'expression désignant évidemment l'Hôtel-Dieu. Dans ses articles de 1936[52], G. Morisset allait jusqu'à lui attribuer six tableaux conservés à l'Hôtel-Dieu. C'est beaucoup, après la pénurie que nous avons repérée jusqu'à présent. Nous préjugeons de rien cependant et rouvrons le dossier pour notre compte.

Un premier tableau pourrait bien se rattacher à l'ensemble iconographique déjà retracée. Morisset l'intitulait *Le Christ tombant dans son sang après le supplice de la flagellation* (h.t., 38″ × 56″). Il serait signé en bas à droite: «Fr. LUC», et conséquemment, daté de 1671, pour indiquer que l'on pense à une oeuvre canadienne du frère Luc. C'est une composition à deux personnages: le Christ reposant à terre sur les mains et les genoux dans une mare de sang, avec à sa droite un angelot tenant un bouclier portant l'inscription: «Considérez et voyez s'il y a douleur semblable à la mienne». On ne connaît pas la destination originelle de ce tableau. Il se trouve aujourd'hui dans un cloître de l'Hôtel-Dieu. Mais y était-il destiné?

Notons tout d'abord que par son thème, il est parfaitement à sa place à l'Hôtel-Dieu. Selon les termes mêmes de son acte de fondation (1637), l'hôpital était en effet «dédié à la mort et au Précieux Sang du Fils de Dieu, répandu pour faire miséricorde à tous les hommes»[63]. Bien plus, la première chapelle de l'Hôtel-Dieu «fut dédiée au Précieux-Sang de Notre Seigneur Jésus-Christ et à la Très Sainte-Vierge sous le titre de Notre-Dame de Pitié» (1646). Mais il y a plus. Ce tableau est exactement de mêmes dimensions qu'un autre du frère Luc, avec lequel, croyons-nous, il faisait la paire. Il s'agit du tableau que Morisset intitule *Une hospitalière soignant Notre-Seigneur dans la personne d'un malade* (h.t. 38″ × 56″). Ce dernier serait également signé en bas à droite «Frère Luc» et aurait été probablement peint en même temps que le précédent: 1671. Mais est-il titré correctement? En examinant l'image de plus près, on y voit un personnage féminin (qui paraît porter le costume des hospitalières) rendant les derniers offices au corps de Jésus dont on voit les stigmates aux mains et le coup de lance au côté. La scène se situe donc après la descente de croix et avant la mise au tombeau. Ne s'agirait-il pas plutôt d'une *Pietá*? Si c'était le cas, on comprendrait ce qui relie les deux tableaux: ils auraient été consacrés à des patronymes de la première chapelle de l'Hôtel-Dieu. On pourrait donc penser que c'est à cet endroit qu'ils se trouvaient primitivement. Certes il s'agit d'une hypothèse. Elle a au moins l'avantage de donner une signification à ces vieux tableaux, les plaçant dans un contexte probable.

L'iconographie de ces deux oeuvres pose d'autres problèmes. Si notre interprétation est exacte, l'un et l'autre représentent des développements de thèmes dont le déchiffrement classique était quelque peu différent.

Il est d'abord caractéristique de voir ressurgir dans l'iconographie du XVIIᵉ siècle une exploitation nouvelle du thème de la passion qui renouait par-dessus la Renaissance avec l'art de la fin du Moyen-Âge (XVᵉ). Le premier tableau montrant le Christ tombant dans son sang après la flagellation est à ce point de vue très caractéristique.

Au XVIIᵉ siècle, on introduit dans les scènes de la flagellation le motif d'une colonne basse portant un anneau auquel Jésus est lié par les mains. Il se trouve penché, le dos offert aux coups. Ce motif remplace évidemment celui des Christ debout, les mains liées derrière le dos à un fût de colonne.

Ce nouveau développement qui donna lieu à des représentations plus pitoyables que par le passé prétendait se fonder sur l'histoire. En 1223, le cardinal Colonna avait rapporté de Jérusalem une colonne basse qu'on tenait pour la colonne même de la flagellation. Elle fut déposée dans l'église de Sainte-Praxède, à Rome, et fut honorée comme telle. Personne ne s'avisa des ressources iconographiques de ce motif avant la fin du XVIᵉ siècle. À partir de ce moment toutefois la colonne de Saint-Praxède devient un motif courant dans les oeuvres représentant la flagellation. Barocci, Pierre de Cortone, Carlo Maratta en Italie, mais aussi bien Stella, le Sueur, en France, Rubens en Flandres et Murillo en Espagne y eurent recours.

Ce motif à son tour devait entraîner la réflexion des peintres dans une voie que prit le frère Luc. Lazzaro Baldi montre, dans une scène de flagellation, le Christ à genoux sur le pavé. Murillo va plus loin encore (et ce pourrait être la source de notre tableau) puisqu'il «représente le Christ, enfin détaché de la colonne de Sainte-Praxède et abandonné par ses bourreaux; il se traîne sur le sol pour atteindre ses vêtements, pendant que deux anges pleins de pitié le contemplent»[65]. Au dire d'Émile Mâle, qui nous guide ici, Murillo s'inspirerait des Méditations d'Alvarez de Paz, mystique de Tolède:

«Détaché de la colonne, tu tombas à terre, à cause de ta faiblesse. Tu étais si accablé par la perte de ton sang que tu ne pouvais tenir sur tes pieds. Les âmes pieuses te contemplent rampant sur le pavé, balayant ton sang avec ton corps, cherchant ça et là tes vêtements.»

Le rapprochement entre le frère Luc et Murillo est si convaincant (présence des anges dans les deux cas) qu'on peut se demander s'il ne faudrait pas intituler l'oeuvre canadienne: *Le Christ cherchant ses vêtements après la flagellation* ... L'état de conservation du tableau ne permet pas de trancher catégoriquement.

En revanche, il paraît plus difficile de voir, comme Morisset, *Une hospitalière soignant Notre-Seigneur dans la personne d'un malade* dans une *Pieta*. Pourtant là encore des indications d'Émile Mâle sont précieuses. Selon un processus dont nous avons déjà vu un exemple avec la flagellation, les méditations des mystiques ont introduit entre la descente de la Croix et la Pieta proprement dite une scène qui pourrait bien correspondre à celle du frère Luc:

«Ce fut elle (*i.e.* Marie) nous dit Jean de Carthagène, qui lui (*i.e.* au Christ mort) ferma les yeux; ce fut elle qui lui enleva la couronne d'épines, et elle craignait tant, en la détachant de son front, d'agrandir ses plaies, qu'elle se blessa les doigts et que son sang se mêla à celui de son Fils; ainsi se réalisa la parole du prophète Osée: «Sanguis Sanguinem Tetigit». S'apercevant que plusieurs épines étaient restées enfoncées dans la tête du Sauveur, elle s'efforça de les enlever, mais elle dût bientôt y renoncer»[66].

Mâle reproduit même (fig. 165, op. cit. p. 283) un tableau de Rubens, *La Vierge fermant les yeux de Jésus-Christ,* (Musée de Vienne, Autriche). Comme dans celui qu'on attribue au frère Luc, la Vierge, à gauche, est à genoux et le Christ étendu par terre a les pieds au premier plan, la tête occupant le fond de la composition. Dans le coin gauche en bas, se trouve un plat avec la couronne d'épines et les clous qu'on vient de retirer.

Que la Vierge emprunte les traits d'une hospitalière reste plausible aussi, même à l'intérieur de notre interprétation inspirée d'Émile Mâle. On identifierait l'hospitalière à la Vierge fermant les yeux au Christ mort, comme elle devait le faire aux morts de l'Hôpital.

L'Hôtel-Dieu possède aussi un *Portrait de Jean Talon* qu'on attribue au frère Luc. Il s'agit d'une huile sur toile (30½″ × 25″) ni signé, ni daté, qui montre l'intendant de trois-quarts à droite, coiffé de la grande perruque, avec jabot de dentelle et vêtu d'un somptueux costume de brocart. De la main droite, il tient un document roulé, peut-être un de ses fameux Mémoires. Représenté en buste, le sujet ne montre plus la main gauche.

Dans l'ensemble des tableaux que nous avons vus jusqu'à présent, ce portrait étonne par son sujet profane. Avouons qu'il surprend plus encore en nous donnant de Talon une image de courtisan à laquelle les manuels d'histoire de notre enfance ne nous ont pas préparés. En réalité, ce serait déjà une raison de le tenir pour authentique. Talon était un des personnages les plus considérables de la Colonie. Il se devait de porter des habits conformes à son rang.

Aussi bien, ce tableau a-t-il d'excellents titres d'authenticité. Il est en effet très probablement mentionné dans *les Annales de l'Hôtel-Dieu de Québec* (1636-1716)[67], en date de 1672:

« . . . Nous gardons son portrait dans nôtre hopital avec un grand soin, comme l'image de celuy a qui nous aurons d'éternelles obligations, le regardant comme un des plus généreux et des plus affectionnez bienfaiteurs que nous ayons eûs».

Ce passage est suivi d'une note de l'éditeur (?) qui en précise l'attribution: «Portrait dû au pinceau du frère Luc, Récollet. Il fait encore partie du trésor artistique de l'Hôtel-Dieu. C'est le seul portrait authentique de Talon»[68].

On ne voit pas qui, mieux que le frère Luc, aurait pu faire le portrait de l'Intendant peu avant son départ définitif de la Nouvelle-France en 1672, après son deuxième mandat. Comment en effet le frère Luc aurait-il pu résister au désir de faire le portrait d'un Intendant qui avait joué un rôle si important dans le retour des frères de son ordre en Nouvelle-France?

Les trois tableaux dont nous venons de parler n'épuiseraient pas, selon G. Morisset, la production du frère Luc conservée à l'Hôtel-Dieu. Il lui attribue en plus deux *Ecce homo* et un *Portrait du Père Anselme*. Le premier *Ecce homo* se présente comme un tableau ovale (26⅛" × 22") ni signé, ni daté[69], représentant le Christ en buste, la tête tournée vers la droite. Couronné d'épines, les mains liées, il porte un bout de manteau mauve sur l'épaule droite. Ce tableau doit être rapproché d'une gravure d'Audran, orientée à l'inverse et donnant à penser que l'un et l'autre ont une source commune plus ancienne. Il y a par ailleurs entre la gravure et le tableau une différence de détail intéressante. Sur la première, le Christ tient dans sa main un roseau brisé, détail qui a disparu dans le tableau, peut-être parce que celui-ci a été tronqué pour pouvoir tenir dans son cadre ovale actuel. Ce rapprochement avec la gravure d'Audran ne constitue évidemment pas une preuve d'attribution au frère Luc, puisqu'on ignore de quel peintre le graveur s'inspirait. Bien plus on connaît un *Ecce Homo* gravé par Jean Mariette d'après un tableau du frère Luc, qui n'a pas de rapport avec le tableau. Cette seconde gravure porte en effet en sous-titre, de gauche à droite: «Frat. Lucas Recoll. pinxit / à Paris chez Mariette rue Saint-Jacques aux colonnes d'Hercules / Io Mariette sculpsit»[70]. Cette inscription établit clairement que Mariette est non le créateur de l'image, mais l'auteur de la version gravée. L'«invention» de l'image est attribuée au frère Luc, récollet.

Celle-ci s'inspirait d'un tableau ancien du frère Luc, qui est perdu. Il nous paraît donc difficile de maintenir l'attribution au frère Luc de l'*Ecce Homo* de l'Hôtel-Dieu de Québec. Mais on peut probablement maintenir qu'il s'agit d'un tableau ancien, ou d'une copie d'un tableau du XVIIe siècle. On trouverait dans l'oeuvre de Mignard ou de Le Brun des compositions voisines dérivant du même prototype créé par une oeuvre de Guido Reni. Philippe de Champaigne avait peint pour les Cisterciennes de Port-Royal, vers 1655, un *Ecce Homo* représenté en pied, baissant les yeux vers la droite, vêtu d'un manteau (attaché à l'épaule par une agraffe), tenant un roseau dans ses mains liées d'une forte corde[71].

L'Ecce Homo est censé montrer le Christ châtié par Pilate et présenté à la foule. Les soldats romains, en dérision de ses prétentions à la royauté, avaient affublé le Christ d'un bout de manteau, d'un roseau dans la main en guise de sceptre et lui avaient tressé une couronne d'épines. La méditation chrétienne s'est arrêtée depuis longtemps à cette image pitoyable. Le thème de l'*Ecce Homo* remonte en effet aux années 1400, où il est traité pour la première fois par des artistes bourguignons. Toutefois, ce n'est qu'au début du XVIe siècle que

« . . . *The image in its various different forms was so widespread that it became the commonest of the images of the Passion after the Crucifixion and super-seded all the trial scenes and that of Pilate washing his hands"*[72].

Parfois intégrée à de grands ensembles iconographiques, l'image du Christ montré au peuple par Pilate s'en est peu à peu détachée, du XVIe au XVIIIe siècle, jusqu'à devenir l'objet d'une présentation isolée pour répondre davantage aux besoins de la dévotion. Schiller reproduit (fig. 167) un *Ecce Homo* de Dieric Bouts (National Gallery à Londres) qu'on pourrait bien considérer comme le prototype du tableau de l'Hôtel-Dieu.

Le deuxième tableau, que G. Morisset titrait aussi *Ecce Homo* et qu'il attribuait au frère Luc est d'un tout autre goût. Il s'agit d'une composition presque circulaire (h. 21¼″ × 22″), ni signée, ni datée, toujours à l'Hôtel-Dieu, et qui présente un Christ couronné d'épines, vu de face, tenant, de la main droite un calice plein de sang qu'il paraît présenter aux spectateurs. Le sujet est accompagné d'une inscription: «POUVEZ-VOUS / BOIRE / MES FILLES / CE CALICE DE SANG». Ce n'est pas à proprement parler un *Ecce Homo*, puisque le Christ ne s'est pas présenté avec un calice devant la foule. Aussi bien, dans l'inventaire des peintures de l'Hôtel-Dieu, fait en 1932, il figure au no 42 sous un autre titre *Jésus flagellé*, ce qui est plus juste. Par ailleurs, l'inscription paraphrase une parole de Jésus qui nous reporte à un autre épisode de l'Évangile, celui de l'Agonie au Jardin des Oliviers: «Père, s'il est possible, faites que ce calice s'éloigne de moi . . .»

Le tableau opère donc une sorte de téléscopage dans la même aire picturale de deux événéments: l'Agonie, où, appréhendant son supplice, le Christ demande à son Père de l'en épargner, et la Flagellation, pendant laquelle les appréhensions antérieures se réalisent. Or de même que le Christ avait invité les apôtres à veiller avec lui pendant l'Agonie de même, il invite les continuateurs des apôtres que sont les religieuses au partage mystique de ses souffrances.

Cette représentation déjà complexe se double d'une allusion à l'Eucharistie — moment rituel par lequel s'opère le partage des souffrances — avec le thème du calice de sang. La doctrine de la transsubstantiation avait été réaffirmée avec force par le Concile de Trente, contre les protestants. Elle ouvrait la porte à une iconographie réaliste où effectivement le vin était changé en sang. La figure du Christ tenant ainsi un calice de sang est évidemment postérieure au Concile de Trente.

Nous sommes donc loin du thème de l'*Ecce Homo* qui se situant du côté de l'événement pouvait se réclamer de l'évangile. Le *Jésus Flagellé* appartient au contraire à l'imaginaire contre-réformiste et relève de la spéculation religieuse. Bien qu'il ait été dans le goût de son temps, rien ne permet de rattacher directement le tableau à une composition du frère Luc.

Nous en disons autant, enfin, de la dernière composition de l'Hôtel-Dieu attribuée par G. Morisset au frère Luc. Il s'agit d'un portrait de religieux, dont il a pu trouver la source dans une gravure de G. Huret[73] qui porte l'inscription suivante: «Reverendus P.F. Anselmus a Sta Margarita, Ordinis Eremitorum Discalceatorum Sti Augustini . . . Obiit in Conventu Regio Parisiensi Exercens Munus Procuratoris Generalis . . . Cal. Aprilis 1653 Relig. 36». Il s'agit donc du père Anselme de Sainte-Marguerite, de l'Ordre des Ermites déchaux, procureur général de son ordre, mort le 1er avril (aux Calendes d'Avril) 1653, après trente-six ans de vie religieuse. Cela ne nous paraît pas suffisant pour attribuer la peinture de l'Hôtel-Dieu, même s'il est arrivé au frère Luc de s'inspirer de Huret. Pourquoi d'autre part les religieuses de l'Hôtel-Dieu avaient-elles tenu à avoir le portrait de ce pieux ermite? Comptait-il au rang de leurs bienfaiteurs? Sa fonction de procureur pourrait le donner à penser.

Avec ce tableau s'achève la liste des oeuvres sur la piste desquelles pouvait nous mettre le texte de Chrestien Le Clercq. Il est certain que la liste de Le Clercq n'entendait pas épuiser toutes les oeuvres du frère Luc faites au Canada. Mais n'ayant plus son texte pour guide, nous entrons dans une zone plus conjecturale de notre exposé.

Nous avons la preuve que même après son départ, le frère Luc s'intéressa au Canada, qu'à l'occasion il remplit des commandes pour les clients canadiens. Il est donc possible, sans quitter le genre documentaire, d'ajouter quelques faits à ceux que nous avions déjà pu établir grâce au texte du père Le Clercq.

Où situer par exemple un portrait célèbre de Mgr de Laval, conservé dans la salle de lecture du Séminaire de Québec? Anonyme, on l'attribue au frère Luc et on le date de peu après son retour en France. C'est un tableau de dimensions moyennes (35½″ × 27½″) où l'évêque est présenté de trois-quarts, vers la gauche. Il est vêtu d'une longue mosette mauve qui le fait ressembler quelque peu au célèbre *Cardinal de Richelieu* de Philippe de Montaigne[74]. Un nettoyage récent ayant débarrassé la toile de son vieux vernis ambré a révélé les chairs traitées au *verdacio* (terre verte) habituel aux peintres anciens, ce qui donne au visage un teint verdâtre. Comme on employait des vernis fortement teintés par rapport à nos vernis actuels, on comptait sur l'effet de transparence du glacis coloré formé par le vernis avec la couleur du fond peinte à l'huile. Le *verdacio* paraissant sous une couche rougeâtre de vernis donnait un ton ambré aux chairs. Il va sans dire qu'un nettoyage trop profond détruit cet effet et fait apparaître des nuances verdâtres désagréables dans les carnations. Quoiqu'on puisse dire de ce portrait, il reste, dans l'état actuel de nos connaissances, qu'on ne peut en faire qu'une attribution très lointaine au frère Luc.

Il n'en va plus tout à fait de même des quelques tableaux que nous allons aborder.

Le père Le Clercq ne mentionne pas Sainte-Anne de Beaupré comme un des endroits qui auraient «esté pareillement gratifiez de(s) ouvrages du frère Luc». Pourtant, l'ancienne chapelle commémorative contenait des tableaux (maintenant au Musée des Pères Rédemptoristes et remplacés sur place par des copies) qui peuvent être attribués au frère Luc. L'un et l'autre sont de mêmes dimensions: 63½″ × 45″ indiquant qu'elles constituaient un couple probablement placé de part et d'autre, du maître-autel, au-dessus des autels latéraux[75].

Ils sont en effet reliés par leurs thèmes. La composition qu'on voit sur la gauche en entrant dans la chapelle montre *Saint Joachim présentant la Vierge enfant au Temple*. Il s'agit de la Vierge et non de l'Enfant-Jésus, comme on peut le déduire par les couleurs des langes et du voile: respectivement le blanc et le bleu, couleurs de la Vierge. En conséquence, le vieillard qui la porte dans ses bras n'est pas Saint Joseph mais Saint Joachim. D'autre part, la composition qui se trouve du côté droit représente la Vierge faisant un geste d'offrande analogue à celui de Saint-Joachim. On aperçoit à gauche la crèche de l'Enfant-Jésus remplie de paille. À eux deux, ces tableaux racontent la généalogie du Christ, fils de Marie, fille de Joachim et d'Anne . . . Surtout, ils respectent, en dépit des apparences, la structure trinitaire propre à ces représentations de la «Petite Parenté» de Jésus: Saint Joachim — Vierge enfant — Vierge adulte — Jésus. Elles n'en constituent pas moins un groupement moins habituel que celui de Sainte-Anne — La Vierge — L'Enfant-Jésus (La Sainte Famille)[76]. L'importance donnée aux grands-parents de Jésus dans un sanctuaire dédié à Sainte-Anne explique cette différence.

Sur un des tableaux, le Saint Joachim, G. Morisset lisait une date et une signature en bas à gauche: «1676 . . . *Frère Luc*». J'avoue que je n'ai pas réussi à la déchiffrer. Mais je ne veux rien inférer de cette différence. Une source documentaire permettrait de démontrer que ces tableaux ont été commandés au frère Luc par Mgr de Laval en 1676 et offerts à Sainte-Anne de Beaupré l'année suivante[77]. Il s'agit donc d'une de ces commandes remplies par le frère Luc après son départ pour un client canadien, à vrai dire le plus important d'entre eux: le Séminaire de Québec, de qui dépendaient les paroisses de la colonie.

La même année (1677), une lettre de l'abbé J. Dudouyt à Mgr de Laval mentionne encore le frère Luc:

«. . . Je crois qu'ils (Les récollets) modèreront la ferveur qu'ils avoient de se vouloir establir en tant de lieux en Canada. Le frère Luc m'a dit que le sentiment de Mgr Colbert estoit qu'il fallait bien establir la maison de Québec et se contenter de cela qu'ils feroient seulement une Résidence à l'Isle Persée dont il faisoit le tableau pour l'envoyer par La Rochelle[78]».

Nous avons vu dans quelles circonstances les récollets étaient rentrés au Canada. Ils pouvaient être tentant pour eux d'exploiter la situation et après avoir divisé le pouvoir ecclésiastique, d'essayer de prendre plus d'importance au Canada. Colbert ne l'entendait pas ainsi. Il lui suffisait d'une présence à Québec. Il n'avait aucune envie de subventionner l'expansion des couvents récollets sur l'ensemble de la colonie. Cela, le frère Luc le savait mieux que d'autres religieux de son ordre, qui n'avaient pas comme lui l'oreille de Colbert. Aussi peut-il rassurer Dudouyt et Mgr de Laval qui craignaient une telle expansion, comme il est facile de le concevoir! Le frère Luc fait donc figure d'allié de Mgr de Laval et de Dudouyt dont il épouse les vues, probablement contre certains membres de son ordre, à Paris en particulier, semble-t-il. L'établissement de l'île de Percée, qu'on pouvait voir d'un mauvais oeil à Québec, n'est décrit que comme une «Résidence», c'est-à-dire un poste missionnaire plutôt qu'un véritable couvent. Desservi depuis 1672 par les Récollets le poste servait de refuge aux pêcheurs français. Pierre Denys y était associé à une entreprise de pêche avec Charles Aubert de La Chesnaye. Les récollets y faisaient à l'occasion quelques missions auprès des Indiens micmacs. Leur établissement ne devait pas être très considérable. En 1677, au moment où le frère Luc songe à leur envoyer un tableau, ils n'ont pas encore d'église, laquelle ne sera construite qu'en 1683 par le frère Didace Pelletier, charpentier[79].

Expédié de Paris par La Rochelle en 1677, ce tableau représentant *La Vierge*, ainsi qu'un autre montrant *Saint Pierre*[80], subirent un triste sort. Ils furent mutilés de plus de cent cinquante coups de fusils par les Anglais et les Hollandais qui attaquèrent Percé en 1690[81].

Un autre tableau du frère Luc a été plus heureux. On le trouve dans un autre ancien poste missionnaire des récollets à Trois-Rivières. L'année suivante, leur retour au Canada, l'un d'entre eux, le père Claude Moireau, arrivé à Québec le 10 septembre 1671 avec le second groupe de récollets, est nommé, quelques mois après son arrivée, à Trois-Rivières où pendant trois ans il exercera son ministère à la place des jésuites[82]. Martial Limosin, Gabriel de la Ribourde et Sixte Le Tac lui succédèrent au même endroit. Quand Sixte Le Tac arriva sur les lieux en 1678, il dirigea la construction d'une résidence, puis, «en 1682, celle d'une nouvelle église paroissiale, plus modeste que la précédente qui n'avait pas été achevée»[83]. Un de ses prédécesseurs immédiats ayant vu trop grand, c'est peut-être lui qui avait eu l'idée de trouver un commanditaire pour un tableau du frère Luc devant orner cette première église trop ambitieuse. Gabriel de La Ribourde, un des compagnons du frère Luc, à son arrivée au Canada, paraît tout désigné en l'occurence. Quoiqu'il en soit, on date des environs de 1678 un grand tableau[84], qu'on conserve à l'église Saint-Philippe de Trois-Rivières. (Nous expliquerons plus loin comment il s'y est trouvé). Il s'agirait de l'oeuvre commandée par les récollets de Trois-Rivières au frère Luc. On y voit vers le centre, la Vierge, joignant les mains et levant les yeux au ciel. Au-dessus de la tête, entourée d'une couronne d'étoiles, vole une colombe. Les pieds qui écrasent le serpent reposent sur un croissant de lune. Derrière elle sur la gauche un angelot tient un bouclier sur lequel on lit: «Ipsa Conteret Caput Hunc», phrase du prophète Isaïe qui sera utilisée lors de la définition du dogme de l'Immaculée-Conception. La droite du tableau est occupée par deux personnages: une femme âgée agenouillée, ayant le bras droit étendu et la main ouverte, la main gauche sur la poitrine. Derrière elle, paraît la tête d'un vieillard. L'identification de ces deux derniers personnages semblent avoir posé quelques difficultés. Morisset a parfois identifié le vieillard avec Saint-Joseph[85]. Ailleurs il fait allusion en croyant pouvoir l'écarter, a une interprétation du père O.-M. Jouve qui y voyait Saint-Joachim:

«C'est un ex-voto, et l'artiste a pris la peine de l'indiquer en bas, à gauche, sur un parchemin à demi-enroulé. Et alors, l'homme et la femme qui implorent la Vierge ne seraient autres que les donateurs de la toile, et non Saint Joachim et Sainte Anne, comme on l'a cru»[86].

Nous ne sommes pas d'accord avec lui là-dessus. Les ex-voto étaient de plusieurs types. Quand ils étaient commandités par des gens importants, il était de bon ton de ne pas se mettre en scène trop directement dans le tableau. La représentation du malheur dont on avait été sauvé par l'intervention du Ciel était exclue en particulier. On désignait d'ailleurs ce genre d'ex-voto comme des «tableaux de recommandation» pour les distinguer des ex-voto populaires. À la limite, comme ici, on pouvait offrir un «tableau de recommandation» sans que les donateurs y paraissent. Aussi, ne nous paraît-il pas faire de doute que les personnages occupant la droite de la composition sont Saint Joachim et Sainte Anne. Notons du même coup que cette identification exclut tout à fait l'interprétation du tableau comme une Assomption[87]. Si on peut expliquer la présence des parents de Marie dans une scène à la gloire de sa conception immaculée, leur présence serait bien inattendue dans une Assomption. D'autre part, le serpent et l'inscription, nous semblent tout à faits déterminants; (ils font partie des attributs traditionnels des représentations de l'Immaculée-Conception), par opposition à ceux que nous avons décrits plus haut à propos de *l'Assomption* de l'Hôpital général.

D'ailleurs le thème de l'Immaculée-Conception est un thème que les franciscains aimaient particulièrement honorer dans leurs églises:

> «Dans un temps où l'église se demandait encore si Marie avait échappé au péché originel les disciples de Saint François n'hésitèrent jamais à proclamer son Immaculée-Conception, et un des leurs, Duns Scot, s'en fit le champion à l'Université de Paris. (. . .) Aussi rencontrons-nous souvent, dans les églises franciscaines, une chapelle consacrée à la Conception: à Rome, il y en a une à l'Aracoeli, aussi bien qu'à San Francesco a Ripa, à Saint-Isidore, aux Quarante-Martyrs, aux Stigmates-de-Saint-François à Saint-Bonaventure. L'église des Capucins s'appelle Sainte-Marie-de-la-Conception (. . .). Rappelons (. . .) que la plus grandiose des Conceptions de Murillo a été peinte pour les Capucins de Séville»[88]

Notons enfin, que dans le tableau de Trois-Rivières, nous retrouvons un autre groupement trinitaire, saint Joachim — sainte-Anne — La Vierge, caractéristique du thème de la «Petite Parenté» de Jésus.

En 1710, ce tableau était transporté dans une nouvelle église des récollets à Trois-Rivières, remplaçant la modeste construction de Sixte Le Tac. Il y est resté jusqu'au 22 juin 1908, date de l'incendie de l'église paroissiale. Il fut alors sauvé par le chanoine Louis Denoncourt[89] qui l'emporta à l'église Saint-Philippe dont il devenait le curé fondateur en 1909. Lors de son installation dans la nouvelle église, il fut confié à un certain Monty qui le restaura sans trop de discrétion. C'est ainsi que cette oeuvre très probablement due au frère Luc se trouve encore à Saint-Philippe de Trois-Rivières.

Les dernières mentions du frère Luc dans les documents concernant le Canada n'ont pas de rapport avec la peinture[90]. Nous les citons néanmoins par souci de fournir des renseignements complets.

Dudouyt qui, de Paris, suit de près les agissements des récollets et en informe ses collègues du Séminaire de Québec, écrit à ceux-ci le 19 juin 1682:

> «J'ai parlé hier au frère Luc qui me dit qu'ils (les Récollets) n'envoyent que deux religieux, un Vallon et l'autre est le frère Joseph Denis, qui est prêtre. Ils ont néanmoins 400 livres pour le passage de quatre . . .».

Encore une fois, sa source est le frère Luc. Joseph Denis est connu. Né à Trois-Rivières, il fut le premier récollet canadien. Au moment où Dudouyt écrivait ce qu'on vient de lire, il venait tout juste de finir ses études de théologie en France et de recevoir l'ordination sacerdotale. Il repassait alors au Canada.

Nous avons déjà mentionné son père, Pierre Denis, qui exploitait la pêche à Percé. C'est sans doute pour cette raison que son premier ministère se fera à cet endroit[91].

Les dernières mentions qui concernent le frère Luc dans des documents relatifs au Canada sont dans une lettre de Mgr de Laval aux Messieurs du Séminaire de Québec, datée de Paris, en mai 1685. Il y est question d'un jeune homme que le frère Luc encourage à passer au Canada. On se rend compte au ton de la lettre que le frère Luc a cherché à lui obtenir une recommandation du vieil évêque:

> «... le frère Luc lui (Mgr de Laval) a présenté un jeune homme de Saint-Lô qui parait bien doué — il ferait bien à la procure lui aussi, mais comme le jeune Digoy lui parait propre à remplir cet office, il ne faut pas l'en détourner (...). Il (Mgr de Laval) croit que le jeune homme du frère Luc ne pourra être employé qu'à tenir les petites écoles sous la direction d'un ecclésiastique; il ne sera pas à propos de le faire étudier pour devenir prêtre (...) Il faudra donner congé à Charpenet aussitôt que le jeune homme du frère Luc sera arrivé à Québec...»[92].

Les personnages dont il est question sont bien obscurs. On est au début de la fondation des «petites écoles», c'est-à-dire des écoles dispensant l'enseignement primaire. Mgr de Laval qui avait créé un «petit séminaire d'enfants» à Saint-Joachim et sur lequel nous reviendrons dans le second volume de cette série, avait à coeur de jeter les bases de l'instruction des enfants dans la colonie. Le jeune homme du frère Luc — qu'on ne connaît pas autrement — servit peut-être à cette oeuvre.

Avec cette mention s'achève la documentation que nous ayons sur le frère Luc. Il meurt en effet, peu de temps après, à Paris, le 17 mai 1685[93].

NOTES SUR LE FRÈRE LUC

1. Cet ouvrage, écrit dans la manière apparemment insouciante de Morisset, ne laisse pas soupçonner la masse de travail que le célèbre historien a mis à sa préparation. On a profit à consulter l'épais dossier *Frère Luc* à l'I.O.A. pour se rendre compte de l'étendue et de la minutie des recherches ayant présidé à son élaboration. Voir aussi l'article que G. Morisset a consacré à Claude François, dit frère Luc dans le D.B.C. I, pp. 321-3, qui fait le point de nos connaissances sur sa carrière.

2. Note du p. O.-M. Jouve, communiquée à G. Morisset en juin 1933, I.O.A. 1933

3. Article *Talon* du D.B.C. I, p. 638, voir aussi, Id., p. 322, sur l'arrivée du frère Luc au Canada

4. Autre limite de notre exposé: nous ne nous en tiendrons qu'à son oeuvre peinte canadienne, laissant de côté son oeuvre d'architecte. Sur cet aspect de sa carrière, voir G. Morisset, le frère Luc, architecte, in *l'Evénement* (Québec), 25 octobre 1934

5. Daté du 27 mars 1665. In R.A.P.Q., 1930/31, p. 11, pour le passage cité ci-après

6. *Ibid.*

7. R.A.P.Q., 1930/31, p. 64

8. R.A.P.Q., 1930/31, p. 110

9. *Ibid.*

10. *Jes. Rel.,* Vol. 53, p. 26

11. R.A.P.Q., 1930/31, p. 126-7

12. Cité par B. Teyssèdre, *L'Art au siècle de Louis XIV.* Livre de poche, 1967, p. 8. Voir son chap. 3 sur la conception qu'on se faisait à l'époque de l'art au service de l'état

13. Paris, 1691, 2e Vol., pp. 95-6

14. Cf. G. Morisset, Un de nos primitifs in *L'Écho du Nord,* 2 mai 1937

15. D.B.C. II, p. 383

16. Greffe du notaire Genaple, I.O.A. 16472. Recopié par G. Morisset

17. *Histoire de l'Amérique septentrionale,* Paris, 1753, Vol. 1, p. 246. Ce texte est difficile à reconcilier, cependant, avec la célèbre gravure de R. Short qui nous montre, seulement six ans après, une *Assomption* au maître-autel de l'église des Récollets à Québec. Comme pour ajouter à la confusion, cette Assomption est d'un dessin différent de celle de l'Hôpital général. On y distingue très bien un groupe de dix apôtres autour du tombeau, au bas de la composition. Elle dépendrait davantage de l'Assomption de Fr. Bassano à Saint-Louis-des-Français. Notons aussi qu'on ne peut faire grand crédit à La Potherie quand il prétend que le frère Luc habitait alors le nouveau couvent inauguré après 1692, d'autant qu'il était repassé en France en 1671

18. Cf. Annales de l'Hôpital général. Année 1815, p. 149

19. I.O.A. 16679

20. Cf. Joan Evans, *Monastic Iconography in France, from the Renaissance to the Revolution,* Cambridge Univ. Press. 1970, p. 42

21. C'est Talon qui avait posé la première pierre de la chapelle des Récollets, le 22 juin 1671 et offert le tableau du retable. Cf. G. Morisset, Sur une peinture du frère Luc, *Le Canada,* 11 février 1936

22. Louis Réau, *Iconographie de l'Art chrétien,* Paris, P.U.F., 1957 Tome III, p. 617

23. Qui finira par se fixer au thème de l'Immaculée-Conception plutôt qu'à celui de l'Assomption. Il en ira de même du serpent qu'on voit au pied de la Vierge. Nous en verrons plus loin un exemple dans l'oeuvre même du frère Luc

24. Il s'agit probablement plutôt d'une Immaculée Conception

25. Dans son article *Sur une peinture du frère Luc,* Morisset avance le nom de Jacopo da Bassano, qui est en effet le plus connu des Bassan. Dans les fiches de l'Inventaire (I.O.A. 16619 et 16701), c'est plutôt à Francesco Da Ponte Bassano qu'il l'attribue. Cette hésitation s'explique assez bien. Dans le texte que nous citons tout de suite après, le père de Bralion attribuait le tableau au «Bon Bassan», qui est la désignation habituelle de Jacopo da Bassano. Par contre, s'il a visité San Luigi, le Guide Bleu à la main, Morisset a dû lire, comme moi, (p. 306 de la vieille édition de 1911, qu'il possédait) que l'Assomption du maître-autel était attribuée à «Fr. Bassano». Il a cru devoir préférer cette attribution plus récente, bien que moins prestigieuse. Mais Francesco Bassano pourrait être aussi bien le père ou le fils de Jacopo, ce qui nous laisse encore dans le doute sur l'auteur de ce tableau

26. Bralion, père Nicolas de, *Curiosité de l'une et de l'autre Rome ou Traité des plus augustes temples et autres lieux saints de Rome chrestienne et payenne,* Paris, 1655-1659, Tome I, pp. 38 et suiv.

27. I.O.A. 16619-20

28. Mon analyse iconographique de l'Assomption de l'Hôpital général lui doit beaucoup. Qu'elle trouve ici l'expression de mes remerciements les plus sincères

29. L'une d'entre elles est signée «Jean Mariette exc.», pour *excudit* c.-à-d. que Mariette n'a pas créé le motif *(invenit),* mais il l'a gravé à partir d'une composition existante

30. *Sur une peinture . . .,* art. cit.

31. Il faut faire peu de cas, à notre avis, de l'hypothèse de Morisset, *art. cit.* voulant que la *Mort de Saint Joseph* actuellement à l'Hôpital général le second tableau mentionné par Le Clercq. Son seul argument est stylistique («Dont la tenue se rapproche beaucoup de certaines compositions du frère Luc»), à propos d'un tableau dont il note lui-même qu'il «porte tant de repeints qu'il est impossible de se prononcer . . .»

32. H.t. 27″ × 21″, mais autrefois inscrite dans un ovale. S'il est du frère Luc, il serait de 1671, comme l'Assomption

33. G. Morisset, Une autre de retrouvée . . ., *L'Événement,* 21 mars 1935, p. 4

34. Luc Noppen, *Notre-Dame de Québec,* Éd. du Pélican, Québec, 1974, p. 26. Voir aussi p. 23 pour les dates que nous avons rapportées dans le paragraphe

35. Cf. L. Noppen, op. cit. p. 180

36. On peut mesurer l'étendue des dégâts causés par les bombes anglaises par une célèbre gravure de Richard Short, montrant Notre-Dame et le collège des Jésuites à Québec. Il s'agit de la 5e vue d'une série de douze publiée par Richard Short, à Londres après 1759

37. I.O.A. 16685

38. Je le remercie de m'avoir autorisé à le reproduire ici

39. G. Morisset, Un curé-peintre, l'Abbé Aide-Créquy dans *La Vie Artistique* 20 décembre 1934, repris dans *Peintres et tableaux,* 1936, Vol. 1, pp. 67-69. Morisset empruntait à Paul-V. Charland, Les ruines de Notre-Dame dans le Terroir, novembre 1924, le détail sur Légaré

40. ou 1867, selon Mgr C. Tanguay, *Dict. Généal.,* Vol. I, 1886, p. 7, note 1; P.-G. Roy, *La peinture au Canada sous le régime français, B.H.R.* 1900, p. 153; id., *Notre-Dame de Québec. Le nécrologue de la Crypte,* B.H.R., 1914, p. 244 et 297 (à condition de corriger la coquille d'imprimerie: 1867 au lieu de 1768); id., *Les petites choses de notre histoire,* Vol. I, 1919, pp. 120-1

41. G. Morisset, Un curé peintre . . . *art. cit.* Voir aussi, pour les documents pertinents, *C. Thibault, Communautés religieuses* . . . p. 148

42. Plamondon a également fait une copie pour l'église Saint-Roch de Québec

43. Voir Luc Noppen, op. cit., pp. 236, 238, 243 (fig. 126), sur les destructions causées par ce nouvel incendie

44. I.O.A. 16693

45. Cité par Marius Barbeau, *Trésor des anciens Jésuites,* Musée National du Canada, 1957, pp. 123-124

46. Curieusement intitulé *Notes sur l'érection primitive du monastère des Ursulines de Québec, sur les deux incendies qu'il a subies ainsi que sur les divers changements et additions qui ont eu lieu depuis son établissement avec quelques disgressions qui semblent naître des circonstances.* On croit que ce manuscrit a abouti à l'Hôpital-général en 1882, à l'occasion de la publication de *Mgr de St-Vallier et l'Hôpital-général de Québec.* I.O.A. 16695-6

47. Émile Mâle, *L'Art religieux de la fin du XVIe siècle, du XVIIe siècle et du XVIIIe siècle,* Paris, Armand Colin, 1951, p. 432

48. Jean Trudel, *Peinture Traditionnelle du Québec,* Ministère des Affaires culturelles, Musée du Québec, été 1967, p. 40, 1967 c'est aussi la date de sa restauration

49. Mais avec la faute d'autographe qui est constante dans tous les exemples «canadiens» que je connaisse: «JECHOCHA» au lieu de «JEHOVA»

50. Abbé Casgrain, *Histoire de la Paroisse de l'Ange-Gardien,* Québec, 1903, pp. 93-4

51. Id. p. 93

52. I.O.A. 16697-8

53. Antoine Roy, *Les lettres, les sciences et les Arts au Canada sous le régime français,* Paris, Jouve et Cie, 1930, p. 253, note 3 et le P. Hugolin, art. cit. p. 71, reprendront, tel quel, son jugement défavorable.

54. L. Réau, *Iconographie de l'Art chrétien,* P.U.F., 1956, T. II, p. 53

55. Morisset signale bien au no 73 de son catalogue raisonné des oeuvres du frère Luc un tableau actuellement à Sillery et provenant de Château-Richer, c'est un tableau entré ici avec la collection Desjardins; ce ne pourrait s'agir d'une oeuvre visée par le texte du père Le Clercq

56. *Sainte-Famille, I.O.,* in *L'Almanach de l'Action Sociale Catholique,* 1925, pp. 86 à 95

57. I.O.A. 16744

58. L. Réau, *op. cit.,* Vol. I, p. 149

59. Voir E. Mâle, *op. cit.*, pp. 311-2 et fig. 185

60. Émile Mâle, *op. cit.*, p. 329-30

61. *Op. cit.*, p. 327

62. *Quelques peintures du frère Luc à l'Hôtel-Dieu de Québec,* in *Le Canada,* 7 et 12 octobre 1936

63. H.R. Casgrain, *Histoire de l'Hôtel-Dieu de Québec,* Québec, 1878, p. 45

64. Id., p. 142

65. Émile Mâle, *L'Art religieux de la fin du XVIe, du XVIIe et du XVIIIe siècle,* Paris, Armand Colin, 1951, p. 265 et fig. 152, p. 266 pour une reproduction du Murillo de la Collection Cook, Richmond

66. Émile Mâle, *op. cit.*, pp. 282-3

67. On sait que c'est *l'Histoire de l'Hôtel-Dieu de Québec* de la mère Juchereau-de-Saint-Ignace, d'abord publiée à Montauban en 1751, qui a été rééditée sous ce titre, à Québec, en 1939, par Albert Jamet, édit.

68. p. 173 et note 6

69. No 9 dans l'Inventaire des peintures de l'Hôtel-Dieu

70. B.N. Paris, Cabinet des Estampes, Da 40

71. Cf. Joan Evans, *Monastic Iconography in France From the Renaissance to the Revolution,* Cambridge University Press, 1970, fig. 38

72. G. Schiller, *Iconography of Christian Art,* Lund Humphries, London, (1968), 1972, Vol. 2, p. 74

73. B.N. Cabinet des Estampes, AA3

74. C'est ce qui explique qu'on ait parfois attribué le portrait contre toute vraisemblance à Philippe ou même à Jean-Baptiste de Champaigne

75. L'autel principal à Sainte-Anne-de-Beaupré est surmonté de l'important ex-voto du marquis de Tracy

76. Voir Louis Réau, *Iconographie de l'Art Chrétien,* Vol. I, pp. 146-151

77. Du moins, on le suppose. G. Morisset appuie cette affirmation dans son article «La Peinture en Nouvelle-France. Sainte-Anne de Beaupré», *Le Canada Français,* Novembre 1933, p. 210, notes 2 et 3, sur l'*Album du Touriste* de James M. Lemoine (Québec, 1872, pp. 383-4) et sur *Le Sanctuaire de la Bonne Sainte-Anne-de-Beaupré,* par un père Rédemptoriste (Père Girard), Sainte-Anne de Beaupré, 1907, p. 58, qui ni l'un ni l'autre ne constituent des sources bien sérieuses. On sait que le P. Hugolin dans *Un peintre de renom à Québec en 1670: Le Diacre Luc François, Récollet, M.S.R.C.,* Ottawa 1932, pp. 72-73 a contesté l'existence de ces sources

78. D. Brymner, *Report on Canadian Archives, 1885,* Maclean, Roger and Co, Ottawa, 1886, p. cxvi, qui traduit sans raison par «plan» le mot «tableau» du texte français

79. D.B.C. Vol. I, art. Le Clercq, pp. 449-450 et vol. II, art. Denys, p. 181

80. L'église des récollets à Percé était dédiée à Saint Pierre

81. G. Morisset, «Les missions indiennes et la peinture» in *Revue de l'Université d'Ottawa,* juillet-septembre 1934, p. 319, qui s'appuie sur une lettre du père Emmanuel Jumeau au P. Chrestien Le Clercq, datée du 23 novembre 1690

82. D.B.C. Vol. II, art. Moireau, P. 498

83. D.B.C. Vol. II, art. Le Tac, p. 447

84. 55″ × 63″ environ. Ni signé, ni daté

85. I.O.A. 16721

86. «Une belle peinture du frère Luc», in *L'Événement,* 17 octobre 1934

87. G. Morisset, I.O.A. 16721

88. Émile Mâle, op. cit., p. 491-2

89. Morisset tenait ce détail du chanoine lui-même

90. Nous excluons de notre exposé les tableaux du frère Luc qui ont pu entrer ici avec la collection Desjardins. Nous avons déjà fait allusion à certains d'entre eux, notamment ceux de la collection des ursulines de Québec. L'étude des tableaux de la collection Desjardins, entreprise sur des bases nouvelles par M. Laurier Lacroix, dépasse les cadres du présent ouvrage.

91. D.B.C. Vol. II, art. Joseph Denis, p. 181

92. R.A.P.Q., 1939-40, pp. 264-265

93. Nécrologue des Frères Mineurs de la province Saint-Denis. B.N., Manuscrit français 13.875

Planche 13: Frère Luc, *L'Assomption,* h.t. 81″ × 62″, s.d. Fr. LUC, d.g.: 1671, Coll. Hôpital Général de Québec. Photo de l'Inventaire des Biens Culturels du Québec.

Planche 14: Att. Frère Luc, *L'Assomption,* h.t. 48″ × 24″, n.s.n.d., Coll. Monastère des Ursulines de Québec. Photo Edwards, Québec.

THE HOLY FAMILY   by Blanchard

Planche 15: Jacques Blanchard, *Sainte Famille aux cerises,* d'après la photographie ancienne de J.-E. Livernois, publiée en carte postale à Québec.

Planche 16: Chapelle de la Sainte-Famille à Notre-Dame de Québec, avant l'incendie de 1922, d'après une ancienne photographie.

Planche 17: Antoine Plamondon, *La Sainte Famille*, église Saint-Roch de Québec. Copie de Van Loo. Photo de l'Inventaire des Biens Culturels du Québec.

Planche 18: Van Loo, *La Sainte Famille,* Musée du Grand Séminaire de Québec. Photo Edwards.

Planche 19: Frère Luc, *L'Ange Gardien,* h.t. 96″ × 60″, Collection Musée du Québec.

Planche 20: Frère Luc, *Le Christ tombant dans son sang après le supplice de la flagellation*, h.t 38″ × 56″, s.n.d.b.d.: Fr. LUC, Coll. Hôtel-Dieu de Québec. Photo Luc Noppen.

Planche 21: Frère Luc, *Une hospitalière soignant Notre-Seigneur dans la personne d'un malade,* h.t. 38″ × 56″, s.n.d.b.d.: Frère LUC. Coll. Hôtel-Dieu de Québec. Photo Luc Noppen.

Planche 22: Att. Frère Luc, *Portrait de l'Intendant Jean Talon*, h.t. 30½″ × 25″, n.s.n.d., Coll. Hôtel-Dieu de Québec. Photo Luc Noppen.

Planche 23: Frère Luc, *Ecce Homo,* h.t. 26¼″ × 22½″, n.s.n.d., Coll. Hôtel-Dieu de Québec. Photo Luc Noppen.

Planche 24: P. Audran, *Ecce Homo,* gravure. Bibliothèque Nationale à Paris.

Planche 25: Frère Luc, *Ecce Homo,* gravure de Jean Mariette, Bibliothèque Nationale à Paris.

Planche 26: Att. Frère Luc, *Ecce Homo,* h.t. 21¼″ × 22″, n.s.n.d., Coll. Hôtel-Dieu de Québec. Photo Luc Noppen.

Planche 27: Anonyme, *Portrait du Père Anselme,* h.t., n.s.n.d., Coll. Hôtel-Dieu de Québec. **Photo** Luc Noppen.

Planche 28: Grégoire Huret, *Portrait du Père Anselme,* gravure. Bibliothèque Nationale de Paris.

Planche 29: Att. Frère Luc, *Portrait de Monseigneur François de Montmorency-Laval*, h.t. 35½″ × 27½″, n.s.n.d., Coll. Grand Séminaire de Québec. Photo de l'Inventaire des Biens Culturels du Québec.

Planche 30: Att. Frère Luc, *Saint Joachim présentant la Vierge enfant au temple,* h.t. 63½″ × 45″, d'après G. Morisset serait s.d.: 1676 FRÈRE LUC (?), Coll. Sainte-Anne-de-Beaupré. Photo Luc, Archives de Sainte-Anne de Beaupré.

Planche 31: Att. Frère Luc, *La Vierge présentant l'Enfant Jésus,* h.t 63½″ × 45″, n.s.n.d., Coll. Sainte-Anne-de-Beaupré. Photo Luc.

Planche 32: Att. Frère Luc, *Immaculée Conception,* h.t. 55″ × 63″ environ, n.s.n.d., Église Saint-Philippe, Trois-Rivières. Photo de l'Inventaire des Biens Culturels du Québec.

JEAN GUYON

Des peintres dont nous avons parlé, Jean Guyon est le premier qui soit né ici. Son acte de baptême révèle la date et l'endroit de sa naissance: 3 octobre 1659 à Château-Richer. Un autre document précise même l'emplacement de sa maison natale:

> « ... sur une terre et mettarye[1] située en la dite seigneurie de Beaupré sur laquelle il est de présent demeurant contenan six arpens de front ou environ borné dun costé (par) le sieur François Bellenger (et) d'autre costé (par) les terres du deffunt Dorval...»[2]

L'acte de baptême précise que l'enfant fut baptisé à Québec. Bien que desservi par des missionnaires depuis 1640, Château-Richer n'aura son premier curé résident que deux ans après la naissance de Jean Guyon, en 1661, date de l'ouverture des registres paroissiaux. Elle sera toutefois la première paroisse de la Côte de Beaupré à recevoir l'érection canonique, en 1678, par Mgr de Laval[3]. (Figure 10)

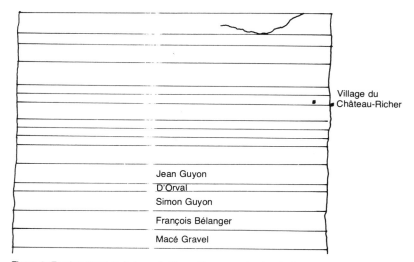

Figure 9: Emplacement de la terre de Simon Guyon, sur la côte de Beaupré. D'après Marcel Trudel, *Le terrier du Saint-Laurent en 1663,* éd. de l'Université d'Ottawa, 1973, pl. en face de la p. 34.

La visite du missionnaire n'ayant sans doute pas coïncidé avec la naissance du petit Jean, les parents n'hésitent pas à faire le voyage à Québec pour le faire baptiser. Il n'est pas dans les moeurs de l'époque de différer les baptêmes.

Les noms de ses père et mère sont connus: Simon Guyon et Louise Racine. L'un et l'autre étaient issus de familles de pionniers de la Côte de Beaupré. Louise Racine descendait d'«Étienne Racine, natif de Normandie, marié à Québec en 1638 à Marguerite Martin, fille de maître Abraham Martin dit l'Écossais, propriétaire de 32 arpents de terre s'étendant des plaines d'Abraham à l'Église Saint-Jean actuelle. Cet Étienne Racine fut un des premiers habitants de la Côte de Beaupré»[4]. Simon était fils de Jean et de Mathurine Robin qui auront six garçons et deux filles[5]. Les Guyon étaient originaires du Perche, une des provinces françaises, avec la Normandie et l'Aunis, qui a fourni le plus d'immigrants à la Nouvelle-France[6]. Trois de ses frères se feront connaître par des surnoms: Jean Guyon du Buisson, l'aîné, qui sera arpenteur; Michel Guyon du Bouvray et François Guyon Des Prés. Nous les retrouverons dans notre documentation. Son frère Denis Guyon est identifié comme bourgeois de Québec.

Comme son frère Claude, Simon qui n'a pas eu la prétention de se donner un surnom et qui est resté à Château-Richer, semble n'avoir pas su pousser son avantage autant que ses frères dans la petite société de l'époque.

Il ne semble pas avoir été très fortuné. Marié à Québec le 10 novembre 1653, il finit par se réserver les services d'un engagé, le 2 mai 1657, un certain Symon Rochon, qu'il embauchera pour trois ans pour «la somme de quatre vingt livres par chacun an payable audit lieu par demye année»[7]. Jean est son fils aîné; il naît deux ans après l'engagement de Rochon, au moment où son père estime sa ferme assez établie pour nourrir une famille. Le couple avait vécu sans enfant six ans. Il est vrai qu'à son mariage, Louise Racine n'avait que douze ans[8] et n'aura son premier enfant qu'à l'âge de dix-huit ans.

Quand les recenseurs dénombreront pour la première fois en 1666 la population de la Nouvelle-France, ils visiteront Simon Guyon et ils noteront simplement dans la colonne des métiers, en face de son nom: «habbitant». En fait, ce même document révèle d'autres détails sur la famille de Simon Guyon:

```
«Simon Guyon .......................... 43 .................habbitant
Louise Racine ......................... 24 ..................sa femme
Jean Guyon ........................... 6 ......................fils
Marie Guyon.......................... 4.......................fille
et Marguerite Guyon ............... 5 mois ....................fille»9
```

On aura noté la grande différence d'âge des parents, qui n'est pas inhabituelle à l'époque. Louise Racine aura d'autres enfants: toutes des filles. L'inventaire des biens de Simon Guyon après sa mort[10] permet de compléter la liste en 1682:

« . . . Marguerite guion agée de dix sept ans ou environ louyse agée de quatorze ans ou environ charlotte agée de douze ans ou environ et Angélicque guion agée de dix ans, tous enfants mineurs des dits défuncts le dit Sieur Simon guion et la ditte louyse Racine . . .»

Jean, l'aîné, est alors au Séminaire et Marie, l'aînée des filles, est déjà mariée à un Guillaume Thibault, également nommé à l'inventaire. Comptant six enfants, la famille de Simon et de Louise Guyon se classait dans la moyenne du temps[11].

L'espace nous manque ici pour citer en entier l'inventaire des biens de Simon Guyon. Il n'est pas sans intérêt, nous révélant de manière très concrète l'entourage matériel dans lequel a grandi Jean Guyon. Son père s'y révèle comme un bon menuisier et charpentier. Il a un grand nombre d'outils spécialisés dans le travail du bois. Quand à la fin de sa courte vie, Jean Guyon manifestera quelque penchant pour la sculpture, on en arrive à penser qu'il aurait pris ce goût dans son milieu familial. Par ailleurs, l'absence d'argenterie, la présence de l'étain, les prix estimés des instruments de forge révèlent que les Guyon de Château-Richer n'étaient pas riches.

Les murs de la maison ne comportaient aucune image pieuse, comme c'était parfois le cas dans les maisons d'habitant canadien au XVIIe siècle. R.-L. Séguin mentionne par exemple la présence en 1662, dans le logis de Lambert Closse de

« . . . quatre tableaux enchassés representans, la Vierge, Saint Joseph, le petit Jésus & un ange, un crucifix, une Vierge tenant son enfant, avec une autre Vierge de pitié . . .[12].

Rien d'analogue chez Simon Guyon.

Mgr de Laval, qui connaissait bien la côte de Beaupré, y aurait repéré le petit Jean, au modeste logis de Simon Guyon; il aurait convaincu ses parents de l'envoyer à son «petit séminaire d'enfans», où Jean entre le

3 septembre 1671, âgé de douze ans[13]. Il ne faudrait pas s'imaginer le petit séminaire comme il est aujourd'hui. À l'époque, les enfants étaient encore logés dans «la vieille maison où avait logé Mdme Couillard», local[14] inauguré le 9 octobre 1668. Le nouveau bâtiment commencé en 1675 ne sera achevé qu'en 1677, au moment où Jean Guyon finit ses classes comme petit séminariste.

La maison de la veuve Couillard ne comportait évidemment pas de classe. Les enfants y pensionnaient seulement et suivaient leurs classes chez les jésuites. Aux petits, on enseignait «à lire et à écrire et (. . .) le plain-chant, avec la crainte de Dieu». Puis on les admettait à suivre les classes de grammaire, latine bien sûr! On procédait en trois étapes. Aux commençants on enseignait la morphologie, aux intermédiaires, la syntaxe; et aux finissants, la prosodie latine. Les humanités et la rhétorique, orientées vers l'acquisition de l'éloquence, complétaient enfin le cycle des études[15]. Tel fut probablement le cours des études suivies par le jeune Guyon.

Peu d'événements extra-scolaires ont filtré jusqu'à nous de ces premières années de Jean Guyon. Sa mère, Louise Racine, meurt le 5 janvier 1675, à Château-Richer, âgée de 33 ans, probablement en donnant naissance à son septième enfant, Barbe, qui ne survivra pas non plus[16]. Cette mort prématurée explique l'absence de la mère de Jean Guyon aux événements marquant les étapes de la carrière ecclésiastique de son fils. On ne se l'expliquerait pas autrement. Simon Guyon, âgé de 52 ans à la mort de sa femme, ne se remarie pas.

Ayant achevé ses classes du «petit Séminaire», Jean Guyon fait partie du groupe de sept écoliers qui «entre en retraite pour se disposer à prendre la soutane et recevoir les ordres»[17], le soir du 8 décembre 1677. Ils sont reçus dans les nouveaux bâtiments du petit séminaire que Mgr de Laval a bénit la veille et qui a au cours de la journée reçu ses premiers écoliers.

Deux jours auparavant se situe un autre document notarié concernant Jean Guyon, dont il nous faut faire état maintenant dans ce contexte. Il s'agit d'un document conservé dans le minutier de Romain Becquet, daté du 6 décembre 1677, et concernant le «titre clérical» de Jean Guyon. Sous le régime français, le clergé recevait une subvention annuelle de l'État. Cette subvention ne couvrait pas l'ensemble des besoins. Les familles devaient aussi contribuer à l'entretien de leurs prêtres. C'est ce qu'on voit faire à Simon Guyon dans ce document du 6 décembre 1677:

«Par devant Romain Becquet nottaire royal gardenotte en la Nouvelle France résidens a Quebecq et tesmoin à ce soubssignez fut present en sa personne Le Sieur Simon Guyon habitant demeurant a la Seigneurerie de Beaupré paroisse de Nostre Dame du Chasteau Rischer de presen en cette ville lequel pour seconder autant qu'il luy est possible la bonne intention et louable dessaing que Maistre Jean Guyon, son fils a de parvenir aux ordres sacrés et luy donner plus de moyen de vivre honnestement en la profession ecclesiastique a reconeue, a confessé avoir donné, créé, constitué, assuré et assigné pour ce présent dès maintenant a toujours; promit et promet garantir de tous troubles et empeschements génerallement quelconque audit Sieur Jean Guyon son filz a ce présent et acceptant pour lui seulement soixante et quinze livres de rente et pension viagère[18] annuelle que ledit Sieur Simon Guyon son père sera tenu et promet de luy payer et bailler doresnavant par chacun an en cette ville de Québec ou au porteur aux quatre quartiers esgallement, dont le premier d'iceux ensuit pour portion de temps à la fin du quartier de l'année dans lequel le dit Sieur Jean Guyon aura pris et reçu l'ordre de prestrize . . .».

Soixante-quinze livres ce n'est pas le Pérou. L'effort est d'autant plus touchant de la part des parents de Jean Guyon, qui, semblables à la veuve de l'Évangile, donnaient moins de «leur superflu» que de ce qu'ils «avaient pour vivre»[19]. Un peu plus loin, le document précise que la rente ne sera accordée qu'

« . . . a condition expresse que soi ledit Jean Messire admis aux ordres de prestrise à qu'il n'en recherchat l'occasion en icelle car le present demeurera nul et sans effect comme n'ayant esté faict que pour cette seule considération et led Simon Guyon deschargé du payment et continuation de la dite rente et pension viagère et aussy le présent contract faict sans que la dite donation et constitution de pension puisse aladvenir faire prejudice audit sieur Jean Guyon a ses droits successifs venant à la succession de ses pere et mere . . . »

L'acte se termine en mentionnant la présence de «Michel Guyon Sieur de Rouvray et François Guyon Sieur Desprez, Bourgeois de cette ville de Québec y demeurant», qui se portent garant de la donation de Simon Guyon leur frère, advenant que celui-ci ne puisse tenir sa promesse[20].

Muni de cette rente viagère, Jean s'engage sur la voie du sacerdoce. Sa retraite terminée, il doit rejoindre les autres clercs que Mgr de Laval loge avec lui au presbytère de la rue Buade, son premier «grand séminaire» en attendant que la construction du nouveau bâtiment soit achevée en 1681.

Les grandes lignes de la carrière ecclésiastique de Jean Guyon nous sont connues par des documents d'époque, que le R.A.P.Q., 1939/40, a énuméré. Ainsi, on sait qu'il a été tonsuré et minoré, c'est-à-dire qu'il a reçu les ordres mineurs, dès le 12 décembre 1677, après les cinq jours de retraite dont nous avons parlé. La cérémonie se tint en la cathédrale de Québec[21].

Il ne devait pourtant poursuivre ses études ecclésiastiques au Canada. Une circonstance particulière explique cette anomalie.

Décidé de faire valoir son point de vue à la cour, surtout après que, le 28 octobre 1678, le Conseil souverain se fut prononcé en majorité pour la liberté absolue de la traite de l'eau-de-vie, Mgr de Laval s'embarque immédiatement pour la France[22]. Il s'y fait accompagner de Jean Guyon. Celui-ci a donc, dès lors, l'occasion de poursuivre ses études de philosophie à Paris. L'abbé Louis Dudouyt, qui s'y trouve depuis l'automne 1676, délégué par le prélat pour combattre auprès des autorités métropolitaines la politique de Frontenac en matière de traite de l'eau-de-vie[23], se voit confier le jeune Jean Guyon. Le 9 mars 1681, Dudouyt annoncera à Mgr de Laval, rentré dans son diocèse depuis l'automne 1680, le retour prochain de son protégé:

> «M. Guyon passera par les premiers vaisseaux. J'ai de la peine qu'il n'a quelque jésuite ou ecclésiastique avec lui, mais je n'en prévois pas car s'il passe quelques jésuites, ce sera par les derniers vaisseaux. Il est assez bien présentement. Il a profité pour la peinture. Il n'a pas travaillé avec tant d'application à sa philosophie cette année à cause de son indisposition; pour ce qui regarde la vertu, je suis satisfait de lui. Je l'ai un peu redressé à mon retour et fait faire sa retraite dont il a profité. J'espère qu'il fera bien et vous donnera satisfaction.»[24]

Ce texte est important pour notre sujet, parce que c'est la première fois qu'on voit dans un document contemporain la peinture associée au nom de Jean Guyon. L'abbé Jean Dudouyt nous révèle peut-être ainsi l'une des intentions qu'avait Mgr de Laval en amenant son protégé à Paris. Sans doute, était-ce pour le voir étudier la philosophie, mais aussi pour lui faire donner des leçons de peinture pour laquelle il avait peut-être montré quelque disposition avant son départ. Il est remarquable en tout cas que, désireux de voir Jean Guyon apprendre la peinture, Mgr de Laval ne songe pas à l'envoyer à son école des arts et métiers du Cap Tourmente[25], mais bien plutôt à Paris.

Quoi qu'il en soit, on peut situer le retour de Jean Guyon au cours de l'été 1681. À la fin de cet été-là, on prenait possession du nouveau bâtiment du Grand Séminaire, tout juste achevé. Comme Mgr de Laval l'écrira au Cardinal Cibo, ce séminaire

«...vaste et bien aménagé (...) permet de loger non seulement de nombreux ecclésiastiques mais encore beaucoup de jeunes gens qui sont prudents et instruits et formés à la discipline de la vie cléricale»[26].

On peut penser que Jean Guyon fut du nombre. Le 8 février 1682, son père mourait[27]. Quelques jours plus tard, le 26 février, on procédait à l'inventaire des biens de Simon Guyon à Château-Richer, auquel Jean Guyon n'assistait pas. Le «Jean Guyon sieur Dubuisson subrogé tuteur» qui était présent, était son oncle l'arpenteur.

Le 27 septembre 1682, Jean Guyon se voyait conférer le sous-diaconat dans la cathédrale de Québec[28].

Au cours de cette année 1682, on trouve le nom de Jean Guyon à quelques reprises dans le livre des Comptes du Séminaire de Québec (1674-1687). De ces mentions, on peut déduire qu'il a travaillé pour les communautés religieuses, probablement chaque fois à des ouvrages de peinture. La première mention (page 377) se lit en effet comme suit:

«1682. Les mères Ursulines doivent à Mr Namur diverses peintures venues de France pour Mr Guyon septante trois livres deux sols huit deniers... 73# 2S 8d».

La deuxième mention est moins explicite. Datée en marge du 6 mars 1682, elle ne fait que rapporter, page 548:

«1681. Les hospitalières doivent... pour Jean Guyon comme par le Journal fol. 13 11#».

Mais la troisième associe le nom de Jean Guyon à celui d'un tableau précis. Datée du 4 décembre 1682, en page 578, elle porte:

«Les Mères Ursulines doivent... par un tableau du père Pigeart que Mr Guyon leur a fait comme par le journal fol. 1 40#»[29].

Ce *père Pigeart* est probablement Claude Pijart, jésuite, dont J. Monet a écrit:

«Bel homme et d'une grande intelligence, le père Pijart attirait surtout par son caractère sympathique. Il avait une telle réputation de sainteté qu'après sa mort le peuple préleva des reliques sur ses restes».

On comprend ce qui avait pu motiver les ursulines à commander son portrait. Le P. Pijart mourait à Québec, le 16 novembre 1683[30], donc presque une année après.

Le 3 avril 1683, Jean Guyon franchit une avant-dernière étape avant le sacerdoce, la plus importante de toutes, le diaconat, qui lui est conféré à la cathédrale de Québec[31]. Enfin, le 21 novembre, c'est son ordination sacerdotale[32]. C'est durant cette année 1683 qu'on[33] situe généralement l'unique tableau de lui qui nous serait parvenu. Comme dans le cas précédent, il s'agit d'un portrait, mais d'une religieuse cette fois: *Portrait de la Mère Juchereau-de-Saint-Ignace,* (huile sur toile, 2' 3" × 1' 10", ni signé, ni daté). G. Morisset le datait tantôt vers 1680, tantôt vers 1683, cette dernière date étant la plus plausible puisqu'en 1680, Guyon était encore à Paris. Née à Québec le 7 juillet 1650, la mère Juchereau, future annaliste de l'Hôtel-Dieu, aurait eu trente-trois ans en 1683, si cette date était retenue. C'est aussi la date de son premier supériorat à l'Hôtel-Dieu. Élue supérieure le 13 novembre, elle le restera jusqu'en 1690. Si l'on estime qu'elle accuse son âge, sur son portrait et que la coïncidence avec le début d'un supériorat paraît plausible, on a l'embarras du choix: la mère Juchereau sera supérieure de 1693 à 1700, de 1702 à 1708 et de 1711 à 1717[34]. En revanche, toutes ces autres dates annuleraient l'attribution de l'abbé J. Guyon, mort en 1687.

G. Morisset décrivait ce portrait de la manière suivante:

> « . . . on a l'impression d'une femme charmante, intelligente, douce de manière; sa figure rosée, peinte d'une main souple, se détache du fond sombre de la toile et du noir enfumé du costume; le bandeau et la guimpe accentuent le contraste »[35].

C'est en effet un portrait remarquable.

W.S.A. Dale (Cf. Canadian Art, no 14, 1957, pp. 28-33) suivi par R.H. Hubbard (L'évolution de l'art au Canada, NGC 1963, p. 47) le rapprochait d'autres portraits de religieuses: *Le portrait de Mère Catherine-de-Saint-Augustin* par Pommier et le *Portrait de la Mère Louise Soumande-de-Saint-Augustin* qu'on attribue à Dessailliant.

Mais ces deux portraits sont posthumes. Nous serions portés à croire que celui de la mère Juchereau représente un être vivant. La comparaison serait donc plus extérieure que les apparences le donnaient à penser. Bien que le tableau soit conservé à l'Hôtel-Dieu, il n'est pas du tout certain qu'il ait été commandé par les religieuses. Leur livre de comptes, en tout cas, ne porte trace d'aucune commande de ce genre[36]. Il est beaucoup plus plausible que cette commande soit venue des membres de la famille Juchereau, considérable à l'époque.

L'idée de faire portraiturer l'une de leur parenté religieuse, supérieure de surcroît a bien pu leur venir, d'autant que les religieuses étaient cloîtrées à l'époque. C'était une façon de garder souvenir de leur visage.

G. Morisset, à une autre occasion[37] et Marius Barbeau[38] ont avancé comme autre auteur possible de ce tableau Jacques Le Blond dit Latour (1670-1715). Cette hypothèse est également valable.

Entre-temps, la carrière ecclésiastique de Jean Guyon se poursuit. Il est nommé chanoine le 7 novembre 1684, un an après son ordination[39]. Mgr de Laval qui vient de créer son chapitre[40] y associe le jeune Canadien à titre de chanoine.

À peine admis au canonicat, Jean Guyon repart en novembre 1684, pour la France en compagnie de Mgr de Laval. Celui-ci, avancé en âge et mal en point, allait donner sa démission comme évêque de Québec et assurer sa succession par Mgr de Saint-Vallier[41].

Mais pourquoi amener avec lui le jeune chanoine? L'auteur anonyme de *Les Ursulines de Québec depuis leur établissement jusqu'à nos jours* (Québec, 1866) émet une hypothèse:

«Le jeune prêtre étant revenu malade de l'Acadie, où il avait passé quelques mois, le digne prélat l'emmena avec lui en Europe, espérant que le voyage lui serait favorable»[42].

Sauf erreur, c'est le seul auteur qui ait parlé d'un voyage en Acadie de Jean Guyon pendant l'automne 1684. La chose n'est pas invraisemblable. Comme l'explique l'abbé H. Provost:

« . . . Le séminaire de Québec, dès qu'il le put et jusqu'à la conquête, envoya et soutint des missionnaires en Acadie et au Mississipi. (. . .) Pendant près d'un siècle, il y eut ainsi un ou plusieurs prêtres en Acadie, concurremment avec des Sulpiciens, des Jésuites et même quelques Récollets; mais la direction de cette mission était dévolue aux prêtres du Séminaire»[43].

À l'époque, l'Acadie comptait environ 885 habitants, c'est du moins le dénombrement de l'intendant De Meulles, lors d'un recensement effectué «au commencement de l'année 1686 (. . .) s'y étant lui-même transporté dans chacune des habitations»[44]; c'était donc deux ans après le passage de Guyon.

Il n'est pas nécessaire de supposer que Guyon y ait été envoyé comme missionnaire pour expliquer sa présence en Acadie. La région avait déjà son missionnaire attitré dans la personne de Louis Petit[45]. Cependant, il a pu y être dépêché pour faire enquête sur la communauté chrétienne de l'endroit, au nom de Mgr de Laval, comme l'abbé Trouvé le fera en 1687 pour Mgr de Saint-Vallier[46]. Le séjour de Guyon en Acadie, faute de documentation, reste malgré tout conjectural.

Quoi qu'il en soit, Jean Guyon part avec Mgr Laval en novembre 1684. Nous le perdons de vue pour un temps. Le prochain document à parler de lui est du 15 février 1686. La pension du clergé ayant été réduite à 2000 livres, Mgr de Laval instruit Mgr de Saint-Vallier de son intention de consacrer cette somme

> «pour la plus grande partie à payer les frais de son entretiens à Paris, de ceux de M. Guyon et de son valet»[47].

Cela confirme au moins la présence de Jean Guyon à Paris.

M. Noël Baillargeon a supposé que des notes adressées en 1686 à M. de Maizerets et intitulées *Le Temps qu'on a commancé à bastir les Églises de Beaupray* (A.S.Q. Paroisses diverses, 75), seraient «de la main de l'abbé Jean Guyon alors secrétaire de Mgr de Laval»[48].

Il faudrait que Jean Guyon eût rédigé ce document durant son séjour parisien. Pourquoi pas en effet? Une partie de ces notes traitaient de Château-Richer, sa paroisse natale. Si ce détail s'avérait exact il nous révélerait une des dernières activités de Guyon, car le 10 janvier 1687 il mourait à Paris des suites d'une méningite. C'est une lettre de Mgr de Laval, datée de Paris, le 18 mars 1687 et expédiée à MM. de Bernières, de Maizerets et Glandelet qui en informe accessoirement les directeurs du Séminaire[49].

De son côté, le 17 avril 1687, M. Jean Dudouyt écrivait à de Maizerets sur le même sujet:

> «C'est une perte bien grande pour l'église et le Séminaire du Canada que la mort de M. Guyon nous a causé quand il décéda le 10 janvier après 10 ou 12 jours de maladie d'une fièvre continue dont il n'a pas été possible d'arrêter le cours, son mal étant principalement dans la tête. Il a reçu pendant sa maladie bien des grâces de Notre-Seigneur et un secours et une protection toute singulière de la Sainte-Vierge. Mgr de Laval peut vous en dire le détail, il l'a assisté jusqu'à la mort avec beaucoup de soin et de charité».

Mais, il ajoutait, et c'est la notation qui nous intéresse le plus ici:

> «Je vous envoye de la laque[50] que Monsr Guion avait achetée en ayant trouvé une occasion, des images de plastre, des estampes et quelques petits instruments dont il se servait à travailler aux statues»[51].

Nous savions déjà que Guyon s'était exercé à la peinture. La mention de la laque est cohérente avec cette information. La laque n'est pas une matière picturale quelconque. Pigment inconnu des Anciens, la laque avait été introduite en Europe par les Arabes au VIIe siècle. Ils l'avaient empruntée eux-mêmes aux Hindous. Le mot LAQUE dérive de

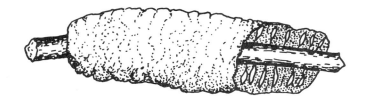

Figure 10: Insecte *Coccus Lacca* secrétant la laque sur une branche de *Croton ficus* (Birmanie).

l'arabe LAKH qui lui-même vient du sanscrit LAK. Pigment rouge violacé, la laque provient de l'exsudation d'un insecte parasite, le *Coccus Lacca,* qui vit accroché immobile aux branches des arbustes de la famille des thérébinthiacées (le *croton ficus* en particulier) de l'Inde et de la Birmanie. Insecte au corps mou, il se protège en s'enveloppant d'une secrétion qui durcit en séchant et qui a l'apparence de la résine. C'est à partir de cette secrétion qu'on fabriquait les vernis. Sa couleur soutenue explique également son utilisation comme pigment pictural. De provenance exotique, la laque des vieux auteurs était donc coûteuse et recherchée. On ne s'étonne donc pas de voir M. Dudouyt tenter de la récupérer et de souligner que Jean Guyon avait été assez heureux d'en acheter d'occasion. (Figure 11)

Le texte de Dudouyt nous révèle chez Jean Guyon à Paris la présence d'«images de plastre et d'étampes», c'est-à-dire de statues de plâtre et de gravures. Le mot *image* au XVIIe siècle désignait souvent des oeuvres en ronde bosse. Il est difficile enfin de savoir ce qu'étaient les «petits instruments» de sculpteur dont se servait Jean Guyon; peut-être s'agit-il d'instruments servant à modeler la glaise ou à sculpter le bois, plutôt que du matériel plus considérable nécessaire à la taille directe de la pierre.

On se souvient que dans sa lettre, Dudouyt avait suggéré à son confrère de Maizerets de demander à Mgr de Laval des détails sur la mort de Jean Guyon. Celui-ci le fit-il? Peut-être. Ce qui est certain, c'est que l'évêque donnera ces détails dans une lettre datée de Paris, le 9 juin 1687 et adressée aux directeurs du Séminaire de Québec[52]. Sa lettre est écrite dans le style hagiographique de l'époque. Voici le passage qui concerne la mort de J. Guyon:

«Je vous ai écrit qu'il a plu à N.S. de disposer du bon M. Guyon. L'on peut dire que, selon l'usage commun de parler du monde, c'est une perte très considérable pour le Canada. Tous les talents naturels que Dieu lui avait donnés l'avoient rendu capable de rendre de grands services à l'église. Mais il a voulu faire connaître qu'il n'a besoin de personne: *Aliae cogitationes meae, aliae vestrae*[53]. Il nous faut adorer ses conduites et le bénir de nous avoir ôté ce secours et appui trop humain; nous devons ensuite lui donner de véritables marques de la charité et amour que nous avons eu pour lui en ce monde par le secours de nos prières. Il a fait une mort très chrétienne et donné des marques d'une grande confiance en la Très Sainte Vierge, de laquelle il a reçu une protection tout extraordinaire, jusque-là qu'après avoir eu le sacrement de l'Extrême-Onction avec plein jugement, il tomba dans un délire, duquel étant revenu, il me pria de m'unir à lui et tous les ecclésiastiques qui étaient dans le chambre, afin de remercier la Très-Sainte Vierge de la faveur et bonté qu'elle avait eue de venir à lui, et de l'assurer qu'elle ne l'abandonnerait pas, ajoutant les larmes aux yeux: «Mgr., ces malheureux démons voulaient que j'abandonnasse la Très-Sainte-Vierge; mais on mettrait toute ma chair par morceaux plutôt que la quitter. Mettons-nous, me dit-il, à genoux, et prions-la de m'accorder cette miséricorde, mais il est nécessaire que ce soit avec une grande grâce, elle ne peut s'obtenir qu'avec une grande et entière confiance». Je dis les litanies de la Ste-Vierge, auxquelles il voulut répondre *Ora Pro Nobis* jusqu'à la fin, avec bien de la dévotion et tendresse au coeur. Lorsque je les eus finies, je dis le *Memorare*; et lorsque je fus à ces mots «Ego Tali Animatus confidentia», il me dit: «Mgr., arrêtons-nous là et redoublons notre confiance», et en fit plusieurs actes pleins de dévotion et d'édification, et ensuite, tout ce que je lui disais qu'il fallait faire, aussitôt que je lui marquais que c'était pour l'amour de la Ste-Vierge, il s'animait d'un courage et d'une force au-dessus de l'état auquel il était. Le voyant diminuer, je me persuadai qu'il approchait de sa fin, ce qui faisait que j'avais peine à le quitter. Cependant M. Dudouyt, croyant qu'il devait encore vivre bien plus de temps qu'il ne fit, fut d'avis que je m'alasse un peu reposer, dont j'avais besoin. En le quittant je lui parlai de la Ste-Vierge, et lui dis que sans doute il éprouverait une grande assistance de cette bonne Mère. Il me répondit bien doucement: «Elle ne me quitte point». Il expira une demi-heure après[54].

Avec ce document s'achève ce que nous savons de la vie de Jean Guyon. Aussi aurions-nous tout dit de ce que nous savons de son oeuvre, n'eût été une découverte sensationnelle de Mgr A. Gosselin, rapportée par G. Morisset, qui nous oblige à rouvrir le dossier que nous allions fermer. Morisset a raconté en détail les circonstances de cette découverte. L'I.O.A. a conservé une de ses notes manuscrites, datées du 18 septembre 1938. Nous croyons qu'elle vaut la peine d'être citée en entier, parce qu'elle fonde toutes les affirmations ultérieures de Morisset sur le sujet:

«À l'automne 1934, au cours d'une visite que j'ai faite à Mgr Amédée Gosselin, dans la chambre qu'il occupait au Grand Séminaire, nous avons causé peinture et sculpture — Frère Luc, Dessailliant, Leblond, Mallet, l'école de Saint-Joachim.
Un moment il s'est arrêté en souriant.

— Je parie qu'il y a un peintre du XVIIe siècle que vous ne connaissez pas.

— Un peintre canadien?

— Oui, né à Québec.

J'ai dû lui répondre qu'il devait y en avoir bien d'autres, puisque j'avais fait ma thèse avec des pièces d'archives et des livres. Au reste, qui peut se vanter de connaître tous les hommes qui ont tenu un crayon ou un pinceau à telle époque donnée.

Mgr Gosselin se traîna comme il pût vers une armoire sise à droite de la porte, en entrant, il en tira un cartable d'environ 14" de hauteur par 9" de largeur. Le cartable contenait peut-être une trentaine de feuilles blanches, d'un très beau papier. Chacune portait une fleur ou une plante, dessinées à l'aquarelle, le tout dans un étonnant état de conservation. Les aquarelles, pour la plupart, portaient une toute petite signature, à l'encre de Chine: J. Guyon. Sur quelques feuilles, il y avait une inscription — probablement le nom de la plante. Je résume le long monologue de Mgr Gosselin.

— J'ai trouvé ce cartable il n'y pas longtemps, dans un coin des Archives où il était pourtant facile de le voir. Je croyais que c'était un plan relié d'arpenteurs, destiné à une compagnie d'assurance. Quand j'ai vu les planches, la signature m'a frappé: c'était celle de l'abbé Jean Guyon, secrétaire de Mgr de Laval. Nous possédons plusieurs de ses signatures. J'ignorais que l'abbé Jean Guyon fût peintre . . . J'ai réfléchi sur cette découverte. Ces planches représentent une partie de la flore de Québec et des environs. Peut-être l'abbé Guyon les a-t-il faites pour l'enseignement de la botanique? Ce n'est pas impossible . . .[55]

J'ai longuement examiné ces aquarelles toutes fraîches, dessinées avec mille précautions, coloriées avec goût et présentées avec art.

Comme Mgr Gosselin s'essoufflait assez vite — il était vieux, et je crois, asthmatique — il me donna poliment mon congé, en m'invitant toutefois à revenir. Je suis retourné le voir deux ou trois fois. Il déclinait lentement. Je n'ai plus revu les aquarelles de Guyon.

Elles sont probablement encore au séminaire, en dépit des efforts infructueux qu'à faits l'abbé Provost pour les retrouver.

On ne possède aucun document qui démontre que l'abbé Guyon a étudié avec le frère Luc ou avec l'abbé Hugues Pommier. Notons toutefois que le style des aquarelles se rapproche de la manière du frère Luc. Notons encore que le portrait de la mère Juchereau de Saint Ignace, que je lui attribue, est tellement supérieur aux ouvrages de Pommier que je penche vers la filiation Frère Luc — Guyon.

G.M. Le 18 septembre 1938»[56].

L'hypothèse selon laquelle Jean Guyon aurait reçu des leçons du frère Luc est négligeable; l'argument stylistique dont faisait état Morisset est trop mince pour être retenu. Sauf erreur, le frère Luc ne s'est jamais intéressé à la botanique. D'autre part à l'époque de son passage au Canada (1670), le jeune Guyon, âgé de 11 ou 12 ans, n'était pas encore élève du Petit Séminaire. L'eut-il été, à la fin de 1671, comment savoir si le frère Luc y enseignait la peinture aux écoliers de première année?

Quoi qu'il en soit nous n'avons pas été plus heureux que l'abbé H. Provost dans la recherche de ces aquarelles. Ne saurons-nous à leur sujet que ce qu'en a dit Morisset en 1938? Pour fragmentaire qu'elle soit dans les documents d'époque il n'en demeure pas moins que la carrière de Jean Guyon illustre la façon dont les milieux ecclésiastiques de la jeune colonie encourageaient la peinture. Chaque ordre avait ses artistes: Les récollets, le frère Luc, les jésuites leurs peintres missionnaires. Le séminaire se devait d'avoir les siens: Hugues Pommier, Jacques Le Blond dit Latour, Jean Guyon . . . C'est que la peinture n'est plus une activité facultative pour l'Église de la Contre-Réforme.

NOTES SUR JEAN GUYON

1. Dans le système du métayage, le métayer n'était pas propriétaire de la terre qu'il exploitait. En guise de loyer, il remettait au propriétaire une part de la récolte. Voir à ce sujet, R.L. Séguin, *La civilisation traditionnelle de l'habitant aux 17e et 18e siècles,* Fides, 1967, pp. 221-227.

2. Titre clérical de Jean Guyon. Minutier de Romain Becquet, 6 décembre 1677. Cf. Marcel Trudel, *Le terrier du Saint-Laurent en 1663,* éd. de l'Université d'Ottawa, 1973, p. 39 et carte p. 35. Le «défunt Dorval» est Claude Bouchard dit d'Orval.

3. J.-E. Perreault et Alia, *Sur les routes du Québec. Guide du touriste,* Ministère de la Voirie et des Mines de la Province de Québec, nov. 1929, p. 466.

4. Anonyme, *Les Ursulines depuis leur établissement jusqu'à nos jours,* Québec, 1866, Tome IV, p. 642.

5. Mgr C. Tanguay, *Dict. Généal.,* Vol. 1, p. 194

6. Marcel Trudel, *La population du Canada en 1663,* Fides, 1973, pp. 47-49: « . . . Le Perche, aux terres et aux métiers surpeuplés est un pays à constante émigration, au XVIIe siècle».

7. J. Le Ber, Tabellion de Dieppe in R.H.A.F., septembre 1951, p. 266.

8. On encourageait les filles à se marier très tôt. Une amende devait même s'appliquer aux parents qui n'avaient pas encore marié leur fille à l'âge de seize ans. Cf. W.J. Eccles, *France in America,* Fitzhenry & Whiteside Ltd, Toronto, 1972, p. 77.

9. R.A.P.Q., 1935 — 1936, p. 44

10. Inventaire après décès des biens de Simon Guyon, 26 février 1682, Minutes de Paul Vachon, A.J.Q. Par ailleurs Mgr C. Tanguay dans son *Dict. Généal.* signale un septième enfant: Barbe, mort-née en 1675, probablement en même temps que sa mère durant l'accouchement.

11. Cinq ou six en Nouvelle-France, contre quatre ou cinq en France durant la même période. Cf. W.J. Eccles, *op. cit. Ibid.*

12. Robert-Lionel Séguin, *La civilisation traditionnelle de l'habitant aux XVIIe et XVIIIe siècles,* Fidès, 1967, pp. 403.

13. *Annales du Petit Séminaire,* p. 3

14. Voir N. Baillargeon, p. 78, pour un «plan des fondations de la Maison de la veuve Couillard».

15. Voir L. Campeau, *Les commencements du Collège de Québec (1626-1670)* dans *Cahiers d'histoire des Jésuites,* No 1, pp. 84-92, Bellarmin, 1972

16. Mgr C. Tanguay, *Dict. Généal.* Vol. I, p. 294

17. N. Baillargeon, *op. cit.* p. 83.

18. Dont on possède la jouissance durant toute sa vie.

19. Marc 12: 41-44.

20. La transcription de ce document dans les fiches 13570-13579 de l'I.O.A. est souvent fautive. Ainsi on lit «Noble Dame du Chasteau Risfé» pour «Notre-Dame de Château Richer», ce qui rend Louise Racine, décédée depuis deux ans, présente à la signature de cet acte, alors que le notaire donnait l'adresse de Simon Guyon. On lit «se rendre» où il est écrit «seconder», «Ramesay» au lieu de «Rouvray» . . . Il est vrai que l'écriture de Romain Becquet n'est pas facile à lire . . .

21. R.A.P.Q., 1939/40, p. 234

22. D.B.C. II, art. *Laval,* p. 384

23. D.B.C. I, art. Dudouyt, p. 299

24. Cité dans *Notes de Mgr Amédée Gosselin,* que l'abbé Honorius Provost avait retranscrites à l'usage de G. Morisset (le 25 septembre 1961) et conservées à l'I.O.A.

25. Bien qu'il n'y ait pas lieu ici de développer ce point, nous sommes persuadés que notre historiographie courante a exagéré considérablement l'importance de l'école des arts et métiers de Saint-Joachim. En réalité, Mgr de Laval avait établi au Cap Tourmente un «petit séminaire d'enfans» où on formait «au travail et à la piété» des enfants n'ayant pas montré de disposition pour les études au petit séminaire. On les faisait aussi travailler à l'entretien des fermes du séminaire, en particulier à la culture du houblon. L'historien qui nous semble avoir le mieux évalué la nature réelle du «petit séminaire» du Cap Tourmente reste E.R. Adair qui écrivait dans *French Canadian Art:* «*There is indeed no real evidence that this school ever played a part in the development of French Canadian Art*».

26. Cité par N. Baillargeon, p. 88

27. Voir Tanguay, *Dict. Généal.* Vol. 1, p. 194

28. R.A.P.Q., 1939/40, p. 248

29. Je remercie bien sincèrement M. Claude Thibault, conservateur-adjoint de l'art ancien au Musée du Québec de m'avoir signalé l'existence de ces mentions dans le livres des comptes du séminaire. Seule la troisième avait été reproduite, d'ailleurs avec une légère erreur de transcription, dans son catalogue *Trésors des communautés religieuses de la ville de Québec, Musée du Québec,* 1973, p. 86. Je remercie également l'abbé Honorius Provost qui a vérifié sur l'original le texte de cette troisième mention.

30. D.B.C. Vol. I, p. 562

31. R.A.P.Q. 1939/40, p. 248

32. *Id.* p. 254

33. G. Morisset, *La peinture traditionnelle* . . . p. 15 et J.R. Harper, *La peinture au Canada* . . . p. 13

34. Voir H.R. Casgrain, *Histoire de l'Hôtel-Dieu de Québec,* Québec, 1878, pp. 311, 575 et 583.

35. G. Morisset, *La peinture traditionnelle* . . . p. 15

36. Que Soeur Claire Gagnon de l'Hôtel-Dieu, qui m'a fait cette observation, trouve ici l'expression de ma gratitude pour ce renseignement.

37. *Le Développement de la peinture au Canada,* Art Gallery de Toronto, 1945.

38. *J'ai vu Québec,* Québec, 1957, p. 30

39. R.A.P.Q. 1939/40, p. 258

40. Sur le chapitre de la Cathédrale de Québec, voir P.-G. Roy, *La ville de Québec sous le régime français*, Québec, 1930, Vol. I, pp. 449-450.

41. D.B.C. II, p. 385

42. Tome IV, p. 642

43. H. Provost, *Le Séminaire de Québec et les missions de l'Acadie* in *R.H.A.F.*, mars 1949, p. 613. L'abbé H. Provost renvoie aussi sur le sujet à Coll., *L'Acadie, ses missionnaires*, Montréal, 1925, 48 p.; H.-R. Casgrain, *Un pélerinage au pays d'Evangéline*, Québec, 1888; *Une seconde Acadie*, Québec, 1894; *Les Sulpiciens et les prêtres des Missions Étrangères en Acadie*, Québec, 1897; A. Gosselin, *l'Église du Canada depuis Monseigneur de Laval jusqu'à la conquête*, 3 vol., 1911-1914.

44. *Un recensement de l'Acadie en 1686*, in *B.R.H.* nov. 1932, pp. 677 à 696 et déc. 1932, pp. 721-734. Voir aussi Lucien Brault, *Relation du voyage de l'intendant Jacques De Meulles fait en Acadie entre le 11 octobre 1685 et le 6 juillet 1686*, in *R.H.A.F.*, déc. 1948, p. 438, qui nous montre l'intendant inquiet du progrès de la religion dans la région: «Il est aisé de lui (Le Roi) faire connaître que ce (l'acquisition de Manatte et d'Orange et plus généralement l'augmentation de la colonie d'Acadie) un moyen pour empêcher que la religion prétendue réformée ne prenne racine et ne s'augmente dans l'Amérique septentrionale, et ce peut-être aussi à Sa Majesté un motif pour détourner et empêcher un progrès aussi grand que fait cette religion dans ces cantons-ci; ce serait prévenir des malheurs que peuvent causer des religions différentes entre des nations qui ont naturellement peu d'estime et d'amitié l'une pour l'autre».

45. Le 10 novembre 1684, il se voyait renouveler son mandat à la cure de Port-Royal, A.S.Q. Missions 1, No 3, in H. Provost, *art. cit.*, p. 614. Il était curé de l'endroit depuis 1676. Cf. D.B.C. Vol. II, p. 544-5.

46. *Ibid.*

47. R.A.P.Q. p. 271

48. *Le Séminaire de Québec sous l'épiscopat de Mgr de Laval*, P.U.L., 1972, p. 204, note 39.

49. *Ibid.*

50. *R.A.P.Q., 1939/40*, p. 275, qui résume le contenu de la lettre de Mgr de Laval.

51. *Et non pas de la «Layue», comme lisent C. Thibault et ses coll.*, p. 134

52. *I.O.A. 13552 A.S.Q.O. No 1, pp. 13-14.*

53. *«Mes voies ne sont pas vos voies».*

54. Cité dans *Les Ursulines de Québec* . . . Vol. IV, pp. 642-3, Note 1. Voir A.A.Q., Copies de lettres, v. 1, p. 363

55. On sait que Mgr A. Gosselin s'est intéressé particulièrement au cours de sa longue carrière à l'histoire de l'instruction au Canada. On ne sait toutefois pas si la botanique faisait partie du curriculum des études à l'époque. G. Morisset n'en écrira pas moins dans *Coup d'oeil sur les arts en Nouvelle-France*, Québec, 1941, p. 50: «Guyon lave de fraiches aquarelles qui servent à l'enseignement de la botanique au Séminaire de Québec». La même affirmation est reprise dans *La peinture traditionnelle au Canada français*, Cercle du livre de France, 1960, p. 15: «Dans les planches qu'il a exécutées probablement pour l'enseignement de la botanique, Guyon se montre bon observateur de la flore laurentienne . . . » La supposition de Mgr A. Gosselin est devenue entre-temps affirmation ou tout au mieux, probabilité.

56. I.O.A. 13559 — 13562

Planche 33: Att. Jean Guyon, *Portrait de Mère Juchereau de Saint-Ignace*, h.t. 27″ × 22″, n.s.n.d., Coll. Hôtel-Dieu de Québec. Photo Luc Noppen.

PIERRE LEBER par Nicole Cloutier

Quinze ans après la fondation de Montréal, Jacques Le Ber émigre en Nouvelle-France[1]. Peu de temps après son arrivée à Ville-Marie, il épouse Jeanne Lemoine, jeune fille issue d'une riche famille de marchands montréalais. Le contrat de mariage est signé le 29 décembre 1657[2] et la cérémonie religieuse est célébrée à Notre-Dame, le 7 janvier 1658[3].

De ce mariage naîtront cinq enfants: une fille et quatre garçons. Pierre est le cadet; il est baptisé à Notre-Dame le 11 août 1669[4].

Bien qu'on sache avec certitude l'endroit où deux des enfants Le Ber firent leurs études, on n'est pas fixé dans le cas de Pierre. Le père ayant les moyens d'envoyer ses enfants étudier à Québec, le fils Louis fut placé au Séminaire[5] et la fille Jeanne en pension chez les ursulines[6].

À cette époque, il n'y avait à Montréal que l'école des sulpiciens, fondée en 1657. Selon Amédée Gosselin, il est probable qu'on n'y apprit qu'à lire et à écrire. Il semble donc qu'il faille chercher à l'extérieur de Ville-Marie l'établissement où Pierre Le Ber a acquis sa formation. Jules Bazin suppose: «probablement formé à Québec»[8]. Peut-être appuie-t-il son hypothèse sur le fait que son frère Louis et son cousin Jacques Lemoine ont étudié au Séminaire de Québec en 1669[9]. Mais elle paraît mal fondée: le nom de Pierre ne figure pas dans la statistique des écoliers du Séminaire à la fin du XVIIe siècle[10].

Aurait-il fait ses études en France? Aucun document ne nous permet d'affirmer qu'il est hors du pays à cette époque. Cependant, il faut bien nous rendre à l'évidence et reconnaître qu'aucun document ne nous autorise non plus à affirmer qu'il est, de façon certaine, à Montréal ou à Québec avant 1689.

La formation artistique de Le Ber nous est donc totalement inconnue. Nous savons cependant que dès sa jeunesse, il vit entouré d'oeuvres d'art. En effet, son père possède une collection de tableaux et de gravures. Sans être très imposante, cette collection influence sans doute les goûts et la perception esthétique du jeune Pierre. En 1693, lors du décès de Madame Le Ber, Pierre n'a que 24 ans; son père a déjà quelques tableaux en sa possession. D'abord,

«En la Chambre a Coste de la ditte Cuisine, ditte duy Sr. Le Ber... Item deux tableaux, l'un representnt Nre Seigneur, l'autre la Ste Vierge, & Un crucifix avec Un Casdre Doré Ensemble a la some de vingt livres...»[13]

Donc dans une seule pièce, deux tableaux à sujets religieux. Trois autres sont accrochés aux murs de la chambre située au-dessus de la cuisine:

«Item, trois tableaux, l'un Representant la Ste-Vierge avec le petit Jesus un autre Representant le Voiage du petit Tobie et l'autre St Anthoine de pade avec leurs Casdres Ensemble a la somme de trente livres...»[14]

Certes leurs conditions matérielles permettaient aux Le Ber de s'entourer de tableaux. Cependant doit-on conclure que tous les riches bourgeois de l'époque collectionnaient des tableaux pour en décorer leur demeure? Il semble que non, puisque la famille Lemoine, dont la condition peut-être facilement comparée à celle des Le Ber, ne possède, vers la même époque, ni tableau, ni gravure[15].

La famille Le Ber est donc privilégiée sur ce point. Dès 1693, c'est-à-dire à l'âge de 24 ans, Pierre Le Ber possède déjà cinq tableaux. En 1706, soit un an avant le décès de Pierre, son père garde toujours ces mêmes tableaux[16]. Il est à noter qu'il n'y a aucun portrait chez les Le Ber entre 1693 et 1706, mais seulement des oeuvres à sujets religieux. De plus, Jacques Le Ber, marchand à Montréal, vend des gravures très probablement importées de France. On retrouve dans l'inventaire de son magasin une cinquantaine de gravures.

«Item quarante deux estampes de papier...
Item neuf autres estampes enluminées fort petites...»[17]

Nous ne savons pas précisément de quel genre de gravures il s'agit. Nous pouvons néanmoins supposer que ces gravures représentent des sujets à iconographie religieuse et biblique. Ce genre est très répandu au XVIIe siècle; on en importe une assez grande quantité en Nouvelle-France. Les collections des communautés religieuses de Montréal en témoignent, en particulier celle des sulpiciens[18].

Connaître ces gravures nous aiderait à préciser les influences qu'a subies Pierre. Cependant nous pouvons aisément songer qu'entouré d'art religieux les tableaux de cet artiste devaient présenter un caractère similaire. On pourrait même supposer que les toiles conservées chez les Le Ber sont des oeuvres de Pierre. Encore que rien ne nous permette de l'affirmer, l'hypothèse n'est pas à rejeter complètement. Si tel était le cas, nous serions en présence d'oeuvres de jeunesse puisqu'elles se trouvent dans la maison familiale dès 1693, alors que Pierre n'est âgé que de 24 ans.

Nous connaissons en fait très peu le genre d'activité que Pierre Le Ber exerce. D'après son testament, on sait qu'il vit chez les frères hospitaliers[19]. Bien que nous ne puissions déterminer avec certitude la date de son entrée à l'Hôpital général, on peut croire qu'il y habite depuis la fin de la construction de l'édifice vers 1694[20]. Même vivant chez les hospitaliers, il n'a jamais prononcé de voeux[21]. L'absence de toute activité mondaine et le peu d'intérêt qu'il manifeste pour les affaires, comme le laissent entendre les rares documents que nous possédons sur lui, viennent sans doute du fait qu'il vit retiré au sein de cet ordre qu'il a fondé en 1692 avec François Charon de la Barre. L'Hôpital général des frères Charon[22] sera entre les mains des hospitaliers jusqu'en 1747, alors que les Soeurs grises de Montréal en prendront possession[23].

Très peu d'historiens se sont intéressés à la fondation et à l'évolution de l'Hôpital général de Montréal. Ce genre d'établissement existe en France depuis 1662 pour le «renfermement des pauvres»[24]. On tente par la création de ces maisons de mettre fin aux désordres publics que causent les mendiants, les infirmes, les orphelins. La fondation d'un Hôpital général suppose la mise sur pied de *manufactures,* c'est-à-dire d'ateliers où l'on pratique la menuiserie, la ferronnerie, etc.; c'est ce genre de «manufactures» que Pierre Le Ber et François Charon tentent de fonder.

Certains historiens d'art se sont mépris sur le rôle de cet établissement; John Russel Harper prétend qu'il a été créé sur le modèle de l'école des arts et métiers de Saint-Joachim.

> «L'ouverture à Montréal d'une seconde école des arts et mé..ers favorisa la création d'autres centres de peinture que Québec. Cette seconde école fondée en partie sur le modèle de St-Joachim fonctionnera de 1694 à 1706»[25].

Nous ne croyons pas pouvoir être aussi catégorique que Russel Harper et prétendre que cet établissement a eu quelque influence sur le développement de la peinture montréalaise. De plus si tant est qu'on ait suivi un modèle dans la fondation de cette école, c'est probablement celui des hôpitaux généraux de France ou de Québec plutôt que celui des hypothétiques ateliers de peinture et de sculpture de Saint-Joachim, dont nous reparlerons au deuxième volume de cet ouvrage.

Peut-on vraiment parler d'une école des arts et métiers pendant la période où Pierre Le Ber a été actif chez les frères Charon, soit de 1692 à 1707? Russel Harper prétend que Le Ber et Charles Chaboulié dirigent cette maison:

> «L'école des Arts et Métiers y fut logée et placée sous la direction de deux membres de la communauté: le vieux Charles Chaboillez, sculpteur connu, qui se retira à l'hospice et y mourut en 1706 (sic)[26] et Pierre Le Ber, chargé de veiller tout spécialement à la formation des jeunes peintres»[27].

Sauf erreur, nous croyons qu'il s'agit d'une affirmation s'appuyant sur aucun document valable. Il est probable que s'il y eut école de peinture à l'enseigne des frères Charon entre 1692 et 1707, Pierre Le Ber en prit la charge, étant l'un des deux fondateurs. Cependant nous mettons en doute l'importance que Morisset et Harper accordent à Charles Chaboulié, puisque celui-ci ne séjourne à l'Hôpital général qu'une année tout au plus[28].

Contrairement à ce qu'avance Gérard Morisset, aucun contrat d'apprentissage[29], aucun document ne vient étayer cette affirmation[30].

En tout cas, il est certain qu'il y eut tentative de la part des frères Charon de créer des manufactures de métiers à Montréal. De 1692 à 1707, certains apprentis et certains artisans séjournèrent à l'Hôpital général; parmi les artisans on compte en effet un menuisier, un charpentier et parmi les artistes, un sculpteur et un peintre. Cependant peut-on parler dans ce cas d'une véritable école d'art et métier comme on la conçoit aujourd'hui? Cette réunion d'artisans et d'artistes s'entend mieux comme une sorte de manufacture où l'on pratique ensemble son métier, plutôt que comme une école. Les profits que réalise cette manufacture servent à défrayer la communauté qui héberge et nourrit les miséreux et les orphelins placés sous sa protection.

Jusqu'à sa mort en 1707, Pierre Le Ber vit chez les frères Charon chez qui il occupe trois pièces. L'une d'elle sert sans doute uniquement d'atelier de peintre; cependant, on a retrouvé un imposant matériel dispersé dans le logement. L'inventaire du notaire Raimbault nous en donne le détail:

> « ... 8 tiroirs plains de touttes Sortes de Couleurs et deux plains de pinceaux et Couteaux servant a la peinture un au^e tiroir plein de gomme d'arabie ...
>
> Item trois cruche d'huile de Noix de Vingt livres dont une a demy vuide ...
>
> Item quatre petits flacons d'environ chopine chacun plains d'huile grasse ...

Un petit Buffet plain de potz, pinzeaux et autres ustanciles servant a la peintre

Un Marbre a Broyer des Couleurs

3 Toilles cirées pour Servir à colorier . . .

Un petit Baril d'ocre jaune a demy

Un quart de barrique plein de blanc de plomb

Un autre ou il y a Environ Vingt Livres

Un chevalet po la peinture

4 baril de Noir de fumée

1 natte de jonc

4 Toille imprimée po peindre dont 2 Sur leurs chassis

It quatre tableaux representant La Ste Vierge Et Ste Therese et St Paul

Une autre grande toile imprimée de 8 pieds de Large . . .»[30]

L'inventaire après décès démontre donc clairement qu'à sa mort Le Ber possède un atelier. Il dispose de trois sortes de pigments: de l'ocre jaune, du blanc de plomb et du noir de fumée. On trouve également de l'huile de noix, preuve de son utilisation dans sa peinture à l'huile.

Son atelier contient de plus plusieurs toiles «imprimées» ou «cirées». Dans le manuscrit de Bruxelles, on explique en ces termes la technique de préparation d'une toile:

«Les toilles s'encolles avec colle de parchemin ou de farine auparavant que de les imprimer; on les imprime avec terre de potier, terre jaune ou ocre broyés avec huille de noix ou de lin. La dite imprimure se couche sur les toiles avec un couteau ou avec l'amasette pour les rendres plus unies, et c'est l'ouvrage du garçon . . .[31]. Pour imprimer une thoille promptement en sorte qu'on y puis peindre la meme jour qu'elle aura esté imprimée, il faut prendre colle de parchemein et imprimure en huile, puis broyer le tout ensemble et aussitôt en imprimer sa toille, et durcit incontenent, mais le dit imprimure est sujet à s'escailler sitot que l'on enrolle la toille»[32]

Bien que Le Ber ne dispose pas d'une palette très variée, il possède néanmoins tous les matériaux nécessaires à préparer une toile: de l'ocre, de l'huile de noix, de la gomme d'Arabie. Le nombre de toiles prêtes à recevoir la peinture indique une grande activité; en effet, le notaire énumère huit toiles «imprimées» ou «cirées» en plus de quatre tableaux achevés ou assez avancés pour être identifiés. La présence simultanée de 12 toiles dans un atelier équipé en instruments et en matériaux nous permet de mettre en doute les affirmations des historiens[33] qui prétendent que Le Ber n'est qu'un amateur. On s'aperçoit au contraire, que c'est un artiste professionnel qui consacre à la peinture une grande partie de son temps.

Un seul tableau est attribué à Pierre Le Ber sans aucune contestation possible: le *Portrait de Marguerite Bourgeoys* [34]. En dépit des nombreuses transformations qu'a subies ce tableau jusqu'à sa restauration en 1963, on ne met plus en doute son authenticité, ni sa datation.

L'attribution et la datation reposent sur un manuscrit inédit dont on retrouve une transcription aux archives des Soeurs de la congrégation de Notre-Dame:[35]

> «Monsieur Le Ber, fils, ayant été prié de Tirer le portrait de notre chère Mère, un peu Après qu'elle fut morte, il vint chez nous à cet effet, après avoir communié pour elle dans notre Chapelle; mais il se trouva si incommodé du mal de tête qui lui prit qu'il lui fut impossible de l'entreprendre. Une de nos soeurs lui donna un peu de cheveux de notre chère mère défunte, qu'il mit sous sa perruque, et en même temps il se sentit si soulagé qu'il se mit à travailler, avec une facilité, que lui et ceux qui le regardaient, ne purent s'empêcher d'admirer. Le même continuant de porter les cheveux de notre Mère croit avoir échappé par ce moyen, deux jours après, un danger évident de se blesser très grièvement, d'une chute qu'il fit, ou naturellement parlant il devait avoir la tête cassée»[36].

Pierre Le Ber a donc exécuté une commande des religieuses de la congrégation. Nous connaissons la date de l'ébauche: 12 janvier 1700, date du décès de Marguerite Bourgeoys, mais aucun texte ne nous apprend quand il est terminé. Peut-être Le Ber l'a-t-il exécuté très rapidement, si tant est que sa technique le lui permît.

Il semble bien que l'oeuvre soit demeurée dans la collection des religieuses depuis cette époque. Glandelet nous apprend où elle fut placée à l'origine:

> «... son coeur a été embaumé et enchassé dans une boîte de plomb... et le portrait de notre chère Mère qu'on a pris après sa mort, sera mis au-dessus de son coeur».[37].

En 1818, Mongolfier confirme[38] et ajoute:

> «Le portrait qu'il fit alors est le même qu'on voit encore aujourd'hui dans la Chapelle des Soeurs».

De toute évidence, il semble que ce soit au début du XIXe siècle que l'intention de modifier le tableau s'est manifestée. Les sévères critiques de l'époque n'apprécient pas le style de Le Ber.

> «Il étoit fervent; mais il n'étoit peut-être pas des plus habile»[40].

Une cinquante d'années plus tard Faillon dira:

« ... M. Pierre Le Ber fut le premier d'entre les Canadiens, qui cultiva les arts d'agréments et spécialement la peinture. Ce n'est pas qu'il exéllât dans cet art, tant pour la correction du dessein que pour le coloris... C'est à son pinceau que nous devons le portrait de la soeur Bourgeoys, qui depuis a été peint et gravé plusieurs d'après lui, par des artistes plus habiles»[41].

On peut facilement déduire de ces deux textes les raisons qui amenèrent les retouches et les repeints.

Selon le rapport de soeur Saint-Damase-de-Rome, il semble qu'il y ait eu deux restaurations majeures au cours du XIXe siècle. De plus, elle rapporte que certaines religieuses ont été témoins de retouches partielles effectuées au cours du XXe siècle[42]. Il est assez difficile de dater ces restaurations, puisqu'il est fort probable qu'elles aient été exécutées par des religieuses, ce qui expliquerait que les livres de comptes n'en font aucune mention[43]. Toutefois, peut-être serait-il possible de dater approximativement la dernière, si l'on pouvait trouver une photographie ou une description plus complète qui auraient été faites à l'occasion de l'exposition du tableau en 1892 par la Société des numismates et antiquaires[44]; ceci n'est qu'une piste de recherche qui n'a encore donné aucun résultat.

L'historique de la restauration commence vers les débuts des années 1960, lorsque les religieuses commencent à mettre en doute l'authenticité du portrait de leur fondatrice[53]. En 1962, elles demandent l'avis de Jean Palardy:

«Ces traits flattés, adoucis au possible ne sont pas du 17e siècle, dit-il (J. Palardy), et je serais bien curieux de voir ce qu'on pourrait trouver sur le fond de cette toile»[54]

C'est ainsi que la Congrégation prit la décision de s'adresser à un peintre restaurateur. Il semble que ce soit vers septembre 1963 que Edward O. Korany de New-York en commence la restauration. La seule source que nous ayions est la correspondance échangée entre Edward O. Korany et soeur Sainte-Miriam-du-Temple. Cette échange couvre la période qui va du 5 septembre 1963 au 14 mars 1964. En septembre 1963, les radiographies sont déjà faites et la restauration est en cours. Le restaurateur peut dater les différentes couches de repeints:

«As I predicted there is an original early primitive portrait under up to 3 layers of whitelead paint all belonging to the period around the turn of the century»[51].

Cependant les radiographies ne permettent pas de déterminer avec certitude l'existence d'un autre portrait sous ces trois couches, puisque le blanc de plomb empêche les rayons X de pénétrer[53]. En octobre, la restauration est déjà assez avancée pour que Korany puisse se rendre compte que le fond est trop endommagé pour tenter de le garder tel quel:

«On the background we'll have to compromise. It is very dark gray, had been in bad condition already when this painting was restored the first time and at the occasion covered with a layer of green paint which is practically insoluble. There will be some sections in better condition to give an idea of the original color scheme»[53].

La toile elle-même est très endommagée, puisqu'elle a été collée sur un carton avant d'être montée sur masonite.

«Furthermore I found that the painting was once glued to cardboard prior to the present mounting to masonite and that the canvas is saturated with glue which in connection with the moisture-sensitive red bole priming is responsible for the excessive blistering and shrivelling»[54].

Le mauvais état du tableau, dont la couche d'apprêt rouge sensible à l'humidité avait provoqué des cloques, força le restaurateur à réentoiler le tableau[55]. Pour empêcher la peinture de s'écailler et de cloquer il applique un traitement spécial:

«A premilinary treatment was applied to the surface to prevent further blistering and loss of paint»[56].

Plusieurs retouches sont nécessaires sur le fond; cependant, il est impossible de savoir dans quelle mesure le visage et le costume ont été retouchés. Tout au plus connaissons-nous la sorte de peinture employée au cours de la restauration:

«... retouching: dry pigments in Poly-vinyl-acetate final coating: P.V.A. Rembrandt wax»[57].

Achevée en mars 1964[58] la restauration a donc révélé le seul tableau qu'on peut attribuer avec certitude à Pierre Le Ber. Du même coup, elle nous permet, grâce à des rapprochements stylistiques et à des textes du XVIIIe siècle, d'attribuer au même artiste quatre huiles sur toile considérées à ce jour comme anonymes.

La première, *Sainte-Thérèse d'Avila,* est conservée à la maison-mère des Soeurs grises de Montréal[59]. La toile est déchirée vers l'angle inférieur gauche et vers l'angle supérieur droit. Le pourtour laisse voir des couleurs plus pâles qui n'ont pas reçu l'épaisse couche de vernis recouvrant entièrement le reste de la toile.

Il semble bien que ce tableau soit l'un de ceux qui furent inventoriés dans l'atelier de Le Ber en 1707:

«Item quatre tableaux representant la Ste Vierge Et Ste Therese et St Paul»[60].

Certains détails stylistiques autorisent un rapprochement avec le *Portrait de Marguerite Bourgeois*. En effet, dans les deux tableaux, le personnage se détache sur un fond sombre. Les mains démesurément longues de sainte-Thérèse rappellent beaucoup celles dont Pierre Le Ber a doté la mère Bourgeois. Dans les deux cas le dos de la main est très potelé, trop rond et trop court par rapport aux doigts; ceux-ci effilés et très longs, ressemblent à ceux de la main gauche de Marguerite Bourgeois, et leur racine est traitée de la même façon: une ligne sombre qui s'amenuise. Dans les deux cas, les yeux dépourvus de cils sont dessinés à l'aide d'un seul trait sombre. Les couleurs sont identiques: le noir, le brun, le beige, l'ocre brun; une différence notable: la peintre a utilisé du rouge pour les lèvres de sainte-Thérèse.

Tous ces recoupements stylistiques nous portent à croire que le tableau est l'oeuvre de Le Ber. Les analogies entre les deux portraits nous incitent à croire que cette *Sainte Thérèse* est bien celle qui figure à l'inventaire après décès de Pierre Le Ber. Ce tableau a probablement été exécuté vers la fin de la vie de l'artiste, puisqu'en 1707, il est toujours dans son atelier. Cependant il n'est pas mentionné dans l'inventaire des biens des hospitaliers en 1747[61]; ce pourrait être un oubli de la part du notaire.

Un autre tableau de la même collection, représentant un personage masculin vu de trois-quarts[62], craquelé, perforé en haut à droite et sur le côté gauche du centre, est décloué de son support sur les côtés. Son état de conservation est cependant meilleur que celui des autres de la même collection. Bien qu'il ne figure pas à l'inventaire après décès de Le Ber[63] non plus qu'à celui de l'Hôpital général en 1747[64], certaines considérations d'ordre stylistique nous portent à le comparer au *Portrait de Marguerite Bourgeois*. Le traitement très linéaire des yeux dépourvus de cils peut être rapproché de celui des yeux de la mère Bourgeoys. L'élément le plus ressemblant est sans contredit les mains dessinées exactement de la même façon. Dans les deux cas, les doigts sont tubulaires, sans jointures et légèrement fourchus et contournés du même trait mince et foncé. Ceux de l'homme sont cependant plus courts. Les ongles sont dessinés de la même manière par un trait ocre brun représentant un ongle de forme circulaire. Les mains jointes de même façon, les doigts semblent se toucher par leur extrémité, alors que les paumes sont séparées. Entre les mains de Marguerite Bourgeois, une croix, entre celles de l'homme, un chapelet.

Le plat de la main présente la même déformation chez les deux personnages. La ressemblance entre les deux visages est frappante: même bouche aux minces lèvres serrées. Le sourcil gauche chez la mère Bourgeoys et le droit chez l'homme sont du même dessin; l'extrémité extérieure commence en ligne courbe très douce se brisant à la racine du nez et se prolongeant en ligne droite pour former un nez aquilin. La narine et l'aile du nez sont traitées similairement de couleurs identiques: le noir, le brun, l'ocre et le blanc.

Ce tableau peut aussi être rapproché de la *«Sainte Thérèse»;* c'est le même genre de composition: un personnage vu de trois quarts regardant vers la droite, un faisceau de lumière descendant sur la tête.

Ce personnage est identifié comme Alphonse Rodriguez[65], jésuite espagnol du XVIIe siècle, auteur d'un ouvrage religieux en trois tomes. En 1747, les frères Charon en possèdent un exemplaire:

«Item un dit intitulé pratique de la perfection chrestienne du R.P. Rodrigue en trois volumes».

Le livre du père Rodriguez semble avoir une grande diffusion en Nouvelle-France, puisque les religieuses de la Congrégation de Notre-Dame en possèdent également des exemplaires[67].

Selon les apparences, l'influence de ce livre a été suffisante pour déterminer chez les Hospitaliers le besoin de posséder un portrait de l'auteur. Il est cependant difficile d'en mesurer l'importance. Nous ne pouvons savoir exactement les raisons qui ont poussé Le Ber à faire le portrait de ce religieux. Mais sur le plan stylistique, les similitudes entre le portrait d'Alphonse Rodriguez et celui de la fondatrice de la Congrégation nous semblent irréfutables.

Il existe dans la collection du vieux Séminaire Saint-Sulpice un portrait représentant J.-B. de la Croix de Chevrières de Saint-Vallier (1653-1727)[69], recouvert d'une épaisse couche de vernis jauni. La toile semble avoir été coupée, puisqu'une boutonnière rouge est perceptible au bas, à la hauteur du support. Ce tableau fut légué en juin 1760 par Mgr de Pontbriand aux sulpiciens de Montréal[70].

Pierre Le Ber connaît personnellement Mgr de Saint-Vallier qui en avril 1694 baptise son filleul[71]. De plus, le prélat s'occupe assez vivement de la communauté naissante des hospitaliers[72]. Il est donc vraisemblable que Pierre Le Ber ait pu peindre un portrait de l'évêque de Québec. Ce tableau offre des ressemblances stylistiques évidentes avec le

Portrait de Marguerite Bourgeois. L'artiste a utilisé les mêmes dominantes de noir, de blanc, d'ocre. Dans les deux cas, les traits du visage sont rigides; les yeux sans cils sont dessinés par un simple trait de contour; la ligne du nez se rattache à celle des sourcils de la même façon. Les bouches, aux lèvres minces et serrées se ressemblent dans les deux cas. Les deux personnages ont les mêmes pommettes, petites et placées très haut près du coin de l'oeil. Les plis des joues dessinées par aplats et le menton carré sont également communs aux deux personnages.

Cette oeuvre peut être datée entre 1692 et 1707, période où Le Ber et Mgr de Saint-Vallier entretiennent des contacts fréquents avec les frères hospitaliers. De plus, le filleul de Le Ber a été baptisé au cours de cette période. Cette datation donnerait à Mgr de Saint-Vallier une quarantaine d'années, ce qui d'après le portrait semble vraisemblable.

Ce portrait a pu être commandé à Le Ber par les frères Charon en reconnaissance envers Mgr de Saint-Vallier qui les aidait à s'établir. Nous savons que ce tableau a été légué au Séminaire par Mgr de Pontbriand; or, c'est cet évêque qui en 1747 proclame un édit cédant l'Hôpital général des frères Charon à Madame d'Youville[73]. Nous supposons donc que le portrait demeure chez les frères Charon jusqu'en 1747; Mgr de Pontbriand le récupère à cette date et en 1760 le lègue aux sulpiciens. Ceci n'est cependant qu'une hypothèse non encore confirmée.

Quelles qu'en soient les origines, il semble évident que ce portrait soit l'oeuvre de Pierre Le Ber. Les deux oeuvres présentent de nombreuses similitudes stylistiques qui révèlent clairement une même technique et une même perception esthétique. De plus, il n'est pas sans intérêt de noter que les deux toiles sont sensiblement de mêmes dimensions[74], facteur d'autant plus troublant que les minimes différences pourraient être attribuées aux coupures qu'on a fait subir au portrait de Mgr de Saint-Vallier.

Les soeurs de la Congrégation de Notre-Dame conservent à la Ferme Saint-Gabriel à Pointe-Saint-Charles une huile sur toile qu'elles ont attribuée à Pierre Le Ber. Elle[75] représente le buste d'un ecclésiastique qu'on croit être saint Charles Borromée. La représentation n'est pas tout à fait conforme à l'iconographie habituelle du saint[76]. La plus courante est celle que le peintre Charles Lebrun a imaginée et que le graveur

Gérard Edelinck a largement popularisée au XVIIe siècle[77]. Faisant partie de la collection des sulpiciens de Montréal[78], la gravure y représente l'activité la plus connue de ce saint, son dévouement lors de la peste de Milan. On le voit à genoux au pied d'une immense croix et entouré de pestiférés.

L'iconographie du saint Charles Borromée de la Ferme Saint-Gabriel se rapproche beaucoup plus d'une lithographie de L. Turgis, publiée au XIXe siècle. Saint-Charles y est représenté en buste de trois quarts et orienté vers la droite; il regarde un crucifix placé sur une table[79]. Cependant nous ne connaissons pas la source de cette lithographie qui pourrait sûrement être la même que celle du tableau des Soeurs de la Congrégation.

Selon la tradition orale des religieuses, le tableau aurait toujours décoré la chapelle de la Ferme Saint-Gabriel, puisque le saint est le patron de Pointe-Saint-Charles[80].

> «Déjà en 1723, nous avons mis une moienne image de St-Charles avec son quadre»[81].

En 1766, on ne mentionne pas précisément ce tableau; l'inventaire parle seulement de «six cadres propres»[82], sans aucune précision quant aux sujets. Cependant en 1858, on retrouve un saint Charles dans la chapelle[83]. Il est cependant à noter que les religieuses de la congrégation de Notre-Dame ont tenté de reconstituer la Ferme Saint-Gabriel d'après l'inventaire de 1723[84]. Que le tableau soit aujourd'hui dans la chapelle ne suppose pas qu'il y soit demeuré depuis 1723.

Les religieuses ont pendant quelque temps attribué ce tableau à Pierre Le Ber, mais suivant l'avis d'E.O. Korany, restaurateur du portrait de Marguerite Bourgeoys, elles ont modifié leur attribution[85]. Ses constatations ont été faites à partir de photographies qui ont permis à Korany de dater le tableau de la fin du XVIIe siècle ou du début du XVIIIe siècle.

> «Observations concerning Charles Borromeo come from looking at the photo, and that was enough. The style is round, soft, simply poor, in no way related to the crisp almost gothic reedition of the portrait. A typical hand of the late 17th or early 18th century creating an image for devotional purposes as one finds them in hundred of chapels in Europe as well as in Catholic America»[86].

Un collaborateur de Korany, Edgar P. Richardson, du musée Henry Francis Dupont au Delaware, s'y est également intéressé:

«The difficulty in finding a relation between the Mother Bourgeoys and other two («L'Enfant-Jésus» et «Saint Charles Borromée) is that the one is a portrait done from life by a man who had perhaps little training but a real artistic gift. The other two are ideal subjects derived from engravings rather than from life and show none of the remarkable power of the portrait»[87].

Depuis 1964, les religieuses ont donc suivi l'avis de ces deux spécialistes et considéré le tableau comme une oeuvre anonyme.

Il est pourtant facile, malgré le grand nombre de repeints, de noter certaines ressemblances entre ce portrait et celui de la Mère Bourgeoys. Les deux personnages se détachent sur un fond sombre. Tous deux ont les mains jointes de la même façon, s'effleurant du bout des doigts; ceux-ci sont longs et le traitement des ongles est le même, bien que la forme en soit différente. Les jointures ne sont même pas esquissées. La séparation des lèvres est suggérée par une ligne brune brisée à la commissure en angle obtus tourné vers le bas. La forme de l'ancien menton (il y a eu repeint) de saint Charles rappelle beaucoup celui de la mère Bourgeois. Le contour du visage est sensiblement le même en dépit de la différence d'orientation des visages. Comme la mère Bourgeoys, saint Charles n'a pas de cils et le contour de l'oeil est suggéré par le même genre de trait brun. Le sourcil droit présentait avant les retouches la même courbure que chez Marguerite Bourgeois. Ces ressemblances évidentes permettent d'attribuer ce tableau à Pierre Le Ber, en dépit de l'absence de document pouvant le confirmer, en dépit, également du grand nombre de repeints. Une analyse plus poussée nécessiterait des radiographies ou du moins des photographies à l'infra-rouge.

La seule oeuvre qu'on lui connaisse étant un portrait, Pierre Le Ber avait à ce jour la réputation de portraitiste. Désormais, il devient auteur de sujets religieux. Les documents manuscrits le laissaient d'ailleurs prévoir en mentionnant presque uniquement des sujets religieux. L'abbé Faillon prétend que Le Ber aurait décoré de ses tableaux plusieurs églises du début du XVIIIe siècle:

«Mais il (Pierre Le Ber) eut le mérite de procurer divers tableaux aux églises du pays»[88].

Cependant les recherches ne permettent pas encore de déterminer la nature de ces décorations non plus que leur localisation. La décoration de la chapelle Sainte-Anne confirme l'avis de Faillon; cependant bien que nous sachions avec certitude que Le Ber a fourni certains dessins pour le décor sculpté, nous ne connaissons rien de cette chapelle disparue depuis le XVIIIe siècle[89].

Les oeuvres d'inspiration religieuse de Le Ber présentent les mêmes caractéristiques que ses portraits. Les techniques d'application des couleurs sont les mêmes et les couleurs sont souvent identiques. Un dessin schématique est commun à toutes ses oeuvres.

Nous attribuons donc quatre oeuvres à Le Ber, un portrait et trois tableaux à sujets religieux. En ajoutant le portrait de Marguerite Bourgeoys nous arrivons à cinq tableaux. Production très mince pour un peintre qui au moment de sa mort possède douze toiles dans son atelier. Il est permis de supposer qu'il existe d'autres oeuvres encore inconnues de Pierre Le Ber. Seul un inventaire systématique des différentes collections privées pourrait nous mettre sur la piste d'autres oeuvres dues aux pinceaux de Pierre Le Ber.

NOTES SUR PIERRE LE BER

1. Zoltany, Y.F., *Jacques Le Ber,* dans D.B.C., II, p. 389

2. M.A.N.Q., gr. B. Basset, 29 décembre 1657, 13.

3. Zoltany, Y.F., *op. cit.* p. 389

4. M.A.N.Q. Registre de la paroisse Notre-Dame, 11 août 1669.

5. Q.A.S.Q., Annales du Petit Séminaire de Québec, 1669.

6. Barbeau, M., Jeanne Le Ber, Sainte Artisanne, *dans La Presse,* samedi 29 juin 1935, p. 45

7. Gosselin, A., *L'instruction au Canada sous le régime français,* Québec, Laflamme et Proulx, 1911. Chap. IV, 1ère partie.

8. Bazin, J., *Pierre Le Ber,* dans D.B.C. II, p. 390

9. Q.A.S.Q. Annales du Petit Séminaire de Québec, 1669

10. Q.A.S.Q., *man. cit.* et Statistiques des écoliers.

11. M.A.N.Q., gr. B. Basset, 1er décembre 1693, 2259

12. *Idem*

13. M.A.N.Q., gr. Basset, 27 mars 1685, 1617. *Inventaire des biens meubles des successions de deffunt Monsieur et Mlle Lemoine a la requeste de Monsieur de Maricourt*

14. Gr. A. Adhémar, 29 décembre 1703, 6444. *Inventaire des biens du Sr Paul Lemoyne de Maricourt et de feu Dame Marye Dupont Brian son épouse.*

15. M.A.N.Q., gr. P. Raimbault, 1er décembre 1706, 1283

16. *Idem.*

17. Cloutier, Bédard, Gauthier, Allaire, Bélanger, *Catalogue des oeuvres picturales du Vieux Séminaire St-Sulpice de Montréal.* Eté 1972, 333p. ill. (manuscrit inédit). Cette collection comprend des oeuvres des graveurs Gérard Edelinck, Louis Jacob, Pierre Drevet, Jean Audran, Benoit Audran, Nicolas Dorigny, représentant surtout des sujets religieux et bibliques.

18. M.A.N.Q., gr. A. Adhémar, 11 mars 1707, 7655

19. Cloutier, Nicole, *Pierre Le Ber 1669-1707,* Mémoire de maîtrise, département d'histoire de l'art, Faculté des études supérieures, Université de Montréal, Août 1973. 199 p. ill. p. 43

20. Huguet-Latour, *Annuaire de Ville-Marie, origine utilité et progrès des Institutions catholiques de Montréal.* Montréal MDCCCLXXIV, p. 35. Six frères ont pris l'habit le 25 avril 1701, mais Pierre Le Ber n'est pas du nombre.

21. Il est à noter que le nom de cette communauté peut varier. On trouve en effet, le nom officiel Frères Hospitaliers de St-Joseph de la Croix ou Frères Hospitaliers de St-Joseph et de la Croix. Cependant le nom le plus courant est le nom usuel frères Charron, du nom du principal fondateur.

22. M.A.S.G., Edit de Henry Marie Dubreuil de Pontbriand et Charles Marquis de Beauharnois et Gilles Hocquart, 27 août 1747.

23. D'Allaire, M., *L'Hôpital Général de Québec 1692-1764*. Montréal, Fides, 1971. (Collection Fleur de lys) p. 2.

24. Harper, J.R., *La Peinture au Canada des origines à nos jours*. Québec, Presses de l'Université Laval, 1969, p. 25.

25. Charles Chaboulié est mort le 20 août 1708 et fut inhumé à Notre-Dame de Montréal. De plus, il était marié, donc il ne pouvait faire partie de la communauté. Pierre Le Ber n'a jamais prononcé de voeux.

26. Harper, J.R. *op. cit.* p. 25

27. M.A.N.Q., gr. A. Adhémar, 6 mai 1701, 5612. Cloutier, Nicole, *man. cit.* pp. 51 à 69

28. Morisset, G., *La peinture traditionnelle au Canada français*. Ottawa, Cercle du livre de France, 1960, p. 31

29. Cloutier, Nicole, *man. cit.* p.p. 59 à 66.

30. *Ibidem*, pp. 51 à 69 . . .

31. M.A.N.Q., gr. P. Raimbault, 3 octobre 1707, 1355.

32. Merrifield, Mary P., *Original Treatises on the Arts of painting*. New-York Dover Publications Inc., Vol. II, *Brussels manuscript*, p. 773

33. *Ibidem*, p. 821

34. Faillon, M.E., *L'Héroïne chrétienne du Canada ou Vie de Mlle Le Ber*. Ville-Marie, chez les Soeurs de la Congrégation de Notre-Dame, 1860, p. 331

35. Collection du Centre Marguerite-Bourgeoys, Montréal.
    Matériaux: huile sur toile.
    Non signé, non daté
    Dimensions: hauteur: 24½ po (62,25 cm)
                 largeur: 19½ po (49,50 cm)

36. Il semble évident que ce texte n'est pas l'original, et de plus, c'est une transcription dont l'orthographe a été modifiée. Le style et le vocabulaire portent à croire qu'il s'agit d'une transcription du XIXe siècle.

37. M.A.C.N.D., Glandelet, C. *Le vray Esprit de l'Institut des Soeurs Séculières de la Congregation de Notre-Dame à Ville-Marie en l'Isle de Montréal en Canada,* 221 pages. p. 218. Ce manuscrit a été rédigé une première fois en 1701 et remanié par l'auteur en 1705. Voir: Soeur St-Damase-de-Rome, C.N.D., *Historique du Portrait de la bienheureuse Marguerite Bourgeoys peint par Pierre Le Ber,* copie dactylographiée. 1964, p. 25.

38. *Idem*.

39. Mongolfier, E. Pss. *La vie de la Vénérable soeur Marguerite Bourgeoys dite de Saint Sacrement, Institutrice et Première Supérieure des filles Séculières de la Congrégation de Notre-Dame etablie a Ville-Marie dans l'Isle de Montréal en Canada,* 221 pages, p. 218.

40. *Ibidem*, p. 168.

41. *Idem*.

42. Faillon, M.E., op. cit., p. 331

43. M.A.C.N.D., soeur Saint-Damase-de-Rome, *Historique du portrait de la bienheureuse Marguerite Bourgeoys peint par Pierre Le Ber,* 1964, p. 4.

44. De toute façon, les livres de compte de la Congrégation de Notre-Dame ont été détruits lors de l'incendie des archives et de la maison-mère, en 1912

45. De Lery MacDonald, A.C., *A Record of Canadian Historical Portraits and Antiquities exhibited by the Numismatic and Antiquarian Society of Montreal.* 15 septembre 1892, p. 13, no. de catalogue 227. Bourgeois, Revd. Sister Marguerite.Oil painting by Pierre Le Ber in 1700 (after death) Congrégation de Notre-Dame, Montreal.

46. M.A.C.N.D., soeur Saint-Damase-de-Rome, man. cit. p. 1

47. *Idem.*

48. *Ibidem.* p. 2

49. Edward O. Korany, 227 east, 57 th Street, New York 22.

50. M.A.C.N.D., Lettre de Edward O. Korany à soeur Sainte-Miriam, New York, 5 septembre 1963

51. *Idem*

52. M.A.C.N.D., Lettre de Edward O. Korany à soeur Sainte-Miriam, New York, 12 octobre 1963.

53. *Idem.*

54. Lettre de Edward O. Korany à Nicole Cloutier, New York, 10 novembre 1972

55. M.A.C.N.D., Lettre de Edward O. Korany à soeur Sainte-Miriam, New York, 12 octobre 1963.

56. Lettre de Edward O. Korany à Nicole Cloutier, New York, 10 novembre 1972

57. M.A.C.N.D., Lettre de Edward O. Korany à soeur Sainte-Miriam, New York, 14 mars 1964.

58. Bélanger, D.; Breton, J.R.; Gauthier, M. et al., *Catalogue partiel des oeuvres d'art de la Maison-Mère des Soeurs Grises de Montréal.*
Eté 1973, non paginé. (manuscrit inédit). No 73 à 037.
Matériaux: huile sur toile
Non signé, non daté.
Dimensions: hauteur: 29¾ po (78 cm)
largeur: 24 po (61 cm)

59. M.A.N.Q., gr. P. Raimbault, 3 octobre 1707, 1355

60. M.A.N.Q., gr. Danré de Blanzy, 4 au 18 septembre 1747, 3349

61. Bélanger et al., man. cit., no 73 A 022
Matériaux: huile sur toile
Non signé, non daté.
Dimensions: hauteur: 29½ po (75 cm)
largeur: 22½ po (61 cm)

62. M.A.N.Q., gr. P. Raimbault, 3 octobre 1707, 1355.

63. M.A.N.Q., gr. Danré de Blanzy, 4 au 18 septembre 1747, 3349

64. Bélanger et al., *man. cit.,* no 73 A 022

65. M.A.N.Q., gr. Danré de Blanzy, 4 au 18 septembre 1747, 3349

66. Bédard, R.; Cloutier, N.; Dumouchel, J.; Racine, Y., *Catalogue des biens de la Ferme Saint-Gabriel,* été 1971, 190p. (manuscrit inédit) 5J237; 5J238; 5J239: Rodriguez, Alphonse *Pratique de la Perfection Chrétienne,* 1697. 3 tomes.

67. Cloutier, Bédard et al., man cit., no 1 A 005
    Matériaux: huile sur toile
    Non signé, ni daté.
    Dimensions: hauteur: 22½ po (56.3 cm)
                largeur: 18½ po (46 cm)

68. Allaire, J.B.A., *Dictionnaire biographique du Clergé Canadien.* Montréal, Imprimerie des Sourds-Muets, 1910. Vol. 7 pp. 491-492.

69. *Testament de Mgr. de Pontbriand,* in R.A.P.Q., 1957/58 et 1958/59, pp. 359-382.

70. M.A.N.Q., *Registre de l'église Notre-Dame de Montréal,* Imprimerie des Sourds-Muets, 1910. Vol. 7. pp. 491-492

71. Ferland-Anger, Albertine, *Mère D'Youville première fondatrice Canadienne,* Montréal, Beauchemin, 1943, pp. 51 à 58.

72. M.A.S.G. Édit de Henri-Marie Dubreuil de Pontbriand et Charles Marquis de Beauharnois et Gilles Hocquart, 27 août 1747

73. Marguerite Bourgeoys   hauteur: 24½ po (62 cm)
                                 largeur: 19½ po (49.5 cm)
    St-Vallier   hauteur: 22⅓ po (56.3 cm)
                                 largeur: 18⅓ po (46 cm)

74. Bédard et al., man. cit., p. 149, No 12 1 995
    Matériaux: huile sur toile.
    Non signé, non daté.
    Dimensions: hauteur: 34½ po (88 cm)
                                 largeur: 27 po (68.5 cm)

75. Réau, Louis, *L'iconographie de l'art chrétien.* Paris, P.U.F., 1957, p. 298

76. Weigert, R.A., *Inventaire du fonds français.* Paris, Bibliothèque Nationale, 1961. Tome IV, p. 7

77. Cloutier et al., *man cit.,* No 1 G 005

78. Bélanger et al., *man. cit.,* No 73 B 157

79. Conversation avec soeur Émilia Chicoine, été 1971.

80. M.A.C.N.D., Inventaire de 1723, transcription de soeur Émilia Chicoine.

81. M.A.C.N.D., *Mémoire de ce que j'ai trouvé a notre métarie de St-Charles le 16 août 1766,* transcription de soeur Émilia Chicoine.

82. M.A.C.N.D., *Mémoire de ce qui est en usage dans chaque office de notre Communauté, Pointe St-Charles 6 fev. 1858,* transcription de soeur Émilia Chicoine.

83. Conversation avec soeur Émilia Chicoine, été 1971.

84. M.A.C.N.D., Lettre de Edward O. Korany à soeur Sainte-Miriam, 16 février 1964.

85. Lettre de Edward O. Korany à Nicole Cloutier, 10 novembre 1972.

86. *Idem*

87. Faillon, M.E., *op. cit.,* p. 331

88. Cloutier, Nicole, *man. cit.,* pp. 84 à 92.

Planche 34: Pierre Le Ber: *Marguerite Bourgeoys,* Coll. du Centre Marguerite-Bourgeoys, Congrégation de Notre-Dame, Montréal.

Planche 35: Pierre Le Ber: *Sainte Thérèse,* Coll. du Centre Marguerite-d'Youville, Soeurs Grises, Montréal. Photo Michel Belisle.

Planche 36: Pierre Le Ber: *Alphonse Rodriguez,* Coll. du Centre Marguerite d'Youville, Soeurs Grises, Montréal. Photo Michel Belisle.

Planche 37: Pierre Le Ber: *Saint Charles Borromée,* Coll. de la Ferme Saint-Gabriel, Congrégation de Notre-Dame, Montréal. Photo Rodrigue Bédard.

LISTE DES ILLUSTRATIONS

PRINCIPALES ABRÉVIATIONS

A.A.Q.	Archives de l'archevêché de Québec
A.J.Q.	Archives judiciaires de Québec
A.S.Q.	Archives du Séminaire de Québec
Att.	Attribué à
B.N.	Bibliothèque nationale
B.R.H.	Bulletin des recherches historiques
D.B.C.	Dictionnaire biographique du Canada
Dict. Généal.	Dictionnaire généalogique
G.N.C.	Galerie nationale du Canada
h.t.	huile sur toile
I.O.	Île d'Orléans
I.O.A.	Inventaire des oeuvres d'art
Jes. Rel.	Jesuit Relations
M.S.R.C.	Mémoire de la Société Royale du Canada
N.R.F.	Nouvelle Revue Française
P.U.F.	Presses universitaires de France
P.U.L.	Presses de l'université Laval
R.A.P.Q.	Rapport de l'archiviste de la Province de Québec
R.H.A.F.	Revue d'histoire de l'Amérique française
M.A.C.D.	Montréal: Archives Congrégation de Notre-Dame
Q.A.N.Q.	Québec: Archives nationales du Québec
M.A.N.Q.	Montréal: Archives nationales du Québec

TABLE DES MATIÈRES

COLLECTION CIVILISATION DU QUÉBEC

Série ARCHITECTURE

Maisons et églises du Québec
(XVIIe, XVIIIe et XIXe siècles)   Hélène Bédard

Les églises de Charlesbourg   Luc Noppen et John R. Porter

La fin d'une époque   Luc Noppen, Claude Thibault et
Jos.-P. Ouellet, architecte   Pierre Filteau

Comment restaurer une maison   Georges Léonidoff, Vianney Guindon et
traditionnelle   Paul Gagnon

Notre-Dame-des-Victoires à la
Place Royale de Québec   Luc Noppen

Série ART ET MÉTIERS

La poterie de Cap-Rouge   Michel Gaumond

Jean-Baptiste Roy-Audy   Michel Cauchon

Les tabernacles anciens du Québec
(des XVIIe, XVIIIe et XIXe siècles)   Raymonde Gauthier

Premiers peintres   François-Marc Gagnon et
de la Nouvelle-France, tome I.   Nicole Cloutier

Série CULTURES AMÉRINDIENNES

Carcajou et le sens du monde
(récits montagnais-naskapi)   Rémi Savard

Tshakapesh (récits montagnais-naskapi)   Madeleine Lefebvre

Série PLACE ROYALE

La Place Royale, ses maisons, ses habitants   Michel Gaumond

Place Royale, Its Houses and Their Occupants   Michel Gaumond

À la découverte du passé   Michel Lafrenière et
(fouilles à la Place Royale)   François Gagnon

Série HISTOIRE

Le siège de Québec (1759)
par trois témoins   Jean-Claude Hébert

The Siege of Québec in 1759
Three Eye-witness Accounts
(Version anglaise du précédent)   Jean-Claude Hébert

L'invasion du Canada
par les Bastonnois   Richard Ouellet et
(Journal de M. Sanguinet)   Jean-Pierre Therrien